3류의 사랑

머리말

사랑은 일종의 손 내밀기일 수도 있다. 내 손 잡아줘,라는 신호이기도 한데 그 손을 잡을지 말지는 상대의 선택에 달려있다.

저자가 계속 써온 남녀 이야기 속 삶의 속성 넣기는 이 소설집에서도 계속되고 있다.

3자의 눈엔, 아니 세간의 관점에서는 말도 안 되는 그런 사랑을 끝내 놓지 못하고 이어가는 건 그 속에 희미하게나마 사랑의 맹아가 숨어있기 때문은 아닐까, 하는 생각을 하면서 이 책을 썼다.

흐트러진 사랑, 종잡을 수 없는 관계, 이미 다 끝난 거 같은데도 소멸 되지 않는 그리움, 이런 모든 것들이 우리를 괴롭히지만 이런 것들로 인해 우리는 또한 삶을 유지해 나가는 건 아닐까,하는 생각을 하는 동안 소설 몇 편이 쓰여졌다.

2024 4.

저자 씀

지은이

박순영

소설가/전 방송작가

소설집/응언의사랑/강변의 추억, 외 다수
자기계발/어리바리 나의 출판일기,

외 다수

대학과 대학원에서 영어/비교문화 전공

차례

천사의 눈물

정말 십 수년만의 동창 모임이라 경미는 뭘 입고 나가나, 더치페이를 할 경우 얼마를 내야 하나를 고민하다 하마터면 약속 시간에 늦을 뻔했다. 해서 지하철을 타기로 했던 그녀는 단지를 나와 곧바로 택시를 잡고 약속장소인 대학로로 향했다. 휴일이어서 길은 막히지 않았다.

졸업하고 한번인가 모이고 이번이 처음이니 정말 오랜만의 모임이었다. 처음엔 대학 근처에서 만날까 했지만 근래 이사 간 혜림의 집에서 너무 멀어 셋의 중간 지점인 대학로가 모임 장소로 결정되었다. 어딘들, 언제든 어떠랴 싶었다. 그 작은 대학교정에서 몰려 다니며 웃고 떠들고 때로는 울고 아파하던 20대를 같이 보낸 얼굴들이니 보기만 해도 애틋할 거 같았다.

혜림과 미정은 이제 제법 주부 티가 나겠지 , 경미는 택시 안에서 상상을 하였다. 그렇게 30여분을 달려간 대학로 이탈리안 레스토랑에 들어서자마자 "경미야!"하고 둘이 입을 모아 부르는 소리가 들렸다. 경미는 소리 난 쪽을 쳐다보았고 단박에 혜림과 미정을 알아보았다.

약속이라도 한 듯이 "얼마만이야!"하며 서로 하이파이브에 수선을 피워가며 셋은 자리를 나란히 했고 대학 때도 늘 그랬던 것처럼 혜림이 나머지 둘을 대신해 알아서 주문을 마쳤다.

"야, 우리 예전처럼 낮술 한 잔 하자"라고 미정이 입을 열자 혜림이 "그럴까?"하고는 흑맥주를 석잔 추가로 주문했다.

그리고는 동창들이 만나면 하는 으레 그렇고 그런 이야기들을 나누다 보니 음식이 나왔고 침을 튀겨가며 서로의 지나온 시절을 이야기하고 함께 반추하고 끌끌 혀를 차기도 하였다..

"너, 지금도 그 남자 만나?"

불쑥 던져진 혜림의 질문에 경미는 잠시 머뭇거리다

"끊어지질 않아"라고 대답을 하였다.

경미가 전화로 대강 그의 이야기를 했던 걸 혜림이 기억해 낸 것이다.

"너두 참..."하고 혜림이 혀를 차자

"뭔데?"하며 미정이 물었다.

경미는 지금 이혼남을 만나고 있다. 회사 일로 알게 되었고 처음에는 이혼남이라는 사실이 걸려서 거리를 두었지만 현수의 적극적 대시로 결국 연인 사이로 발전했다. 애가 있지만 전처가 키우고 있어 현수는 싱글이나 다름없는 생활을 하고 있었다. 문제는 경제력인데, 아내와 이혼하며 다니던 회사를 나와 시작한 사업이 뜻대로 되지 않은 것이다. 그 당시 경미와 일로 알게 돼 인연이 이어졌는데 얼마 안 가 현수의 회사는 문을 닫고 그는 백수가 되었다.

"아내가 바람을 폈어. 그래서 애 키우라고 하고 집도 넘겨주고 헤어졌지"라며 어느 날 현수는 술잔을 기울이며 이혼 사유를 말했다. 대부분 그럴 경우 집까지 주지는 않는데 그래도 집을 주고 나왔다는 게 경미는 어딘가 믿음직하고 신뢰가 갔다.

하지만 곧이어 불거진 그의 경제적 문제로 둘은 자주 갈등을 빚었고 언제부턴가 그의 생활비를 경미가 대주다시피 하는 상황이 되었다.

한달전, sns에서 경미를 찾아낸 혜림에게 그 얘기를 짧게 한 적이 있는데 그걸 미정도 있는 자리에서 그녀가 다시 꺼낸 게 경미는 조금 야속했다. 하지만 어릴적 친구들이기에 그냥 속내를 터놓기로 했다.

"어떡하니...그냥 이러다 결혼하겠지 뭐"

라는 경미의 말에 미정의 눈빛이 반짝인다

"야, 지금이야 사랑에 눈 멀어서 그렇지, 결혼해봐. 결혼은 꿈 아니고 현실이다 너"라며 그녀는 주부 10년차의 그렇고 그런 조언을 해대기 시작했다.

"나 아는 돌싱 의사 있는데 만나볼래?"하고 혜림이 슬쩍 거들기까지 한다.

"꼭 남자가 돈 벌어야 하는 건 아니잖아. 안그래도 요즘 다시 사업한다고 알아보고 있어"라며 경미가 현수의 쉴드를 치자 혜림과 미정이 '그만해라'라는 표정을 짓는다.

현수 이야기가 나오면서 자리는 조금 침울하게 흘러가는 거 같아 경미 쪽에서 화제를 돌렸다. "나 아는 이쁜 까페 있는데 거기 가서 커피 마시자. 케익도 맛있어 그 집"이라고 하자 나머지 둘도 흔쾌히 자리에서 일어났다.

그러나 자리를 옮기고 잠시 시간이 흐르자 화제는 또 다시 현수의 이야기로 돌아갔다.

"돈 막 주고 그러지 마. 남녀 일은 장담할 거 아니잖아. 꼭 결혼한다는 보장도 없고"

혜림이 꽤나 걱정하는 투로 이야기를 했다.

"막 줄 돈도 없다....니들이 좀 꿔줘"라고 미정이 말하자 금세 혜림과 미정의 표정이 굳어졌다.

"농이다 농...기집애들"하자 그제야 둘은 안심하는 눈치였다.

"가까운 사일수록 돈거래 안 하는 거 알지?"라며 미정이 쐐기를 박았다.

그렇게 셋이 서로의 타액이 묻은 포크로 디저트 케익을 세개나 먹어치웠을 때 혜림이 화장실을 간다고 자리를 떴다. 그러자마자 미정이 기다렸다는 듯이 말을 하였다.

"혜림이 남편, 지금 놀잖아"라고.

그 말에 경미가 의아해했다

"그쪽도 사업하다 잘 안돼서 백수"라고 누가 듣기라도 하듯 미정이 목소리를 낮췄다.

"어, 그래..."라며 경미가 마지못해 응대하는데 혜림이 돌아와 앉았다.

"나 없는 동안 내 흉 안봤지?"라며 혜림이 둘에게 눈을 흘겼다.

"흉 봤다 어쩔래"하고 미정이 살짝 비아냥댔다.

"니들은 화장실도 안가냐?" 하고 혜림이 둘에게 말을 하자 "나 없다고 내 흉보지 마"하고는 미정이 자리를 떴다. 화장실이 있는 통로로 미정이 사라지자 혜림이 대뜸 말했다.

"걔 , 요즘 속이 말이 아니잖아"

순간 경미는 이 자리가 조금 피곤해졌다. 또 무슨 얘기를 하려고 하나 하고 귀를 세우자

"여자 있잖아 걔 남편"하고 혜림이 알려줬다.

"여자 ?" 하며 경미가 짧게 탄식했다.

"다른 건 몰라도 난 여자 문제는 못 참을 거 같아"라며 혜림이 이미 바닥난 커피잔을 휘휘 돌리며 말을 했다.

아마도 혜림과 미정은 간간이 연락을 하며 지내온 듯했다.

혜림, 미정과 헤어져 경미는 문득 학교에 가보고 싶다는 생각이 들었다. 졸업하고 한 두번 가본 게 다인지라 가끔 온라인에서 검색이라도 해보면 교정도 많이 변해있었다.

술기운도 좀 가라 앉힐겸 그녀는 지하철로 가기로 했다.

그렇게 전철역에서 내리자 주위는 몰라보게 변해있었다. 이젠 제법 고층 건물도 들어섰고 예전의 소규모 옷가게며 화장품 가게, 미장원 대신 커다란 종합쇼핑몰이 떡 버티고 서있었다. 예전의 작고 아기자기한 정취가 그리웠지만 사실 그때는 너무 낙후했던 것도 사실이었다.

그렇게 오랜만에 들어선 학교는 예전의 후줄근한 담벼락을 없애고 세련된 정문을 만들어 괜히 으쓱해지는 기분이 들었다...

예전에 비는 시간이면 자주 혜림, 미정과 몰려다니던 여기저기를 가서 앉아보고 그동안 달라진 걸 실감하면서 작은 탄식도 해보고 하던 경미는 아직도 그 작은 교내서점이 있나 궁금해졌다. 그때 모든 교재며 부교재를 파느라 일손 딸려 하던 그 사람 좋은 서점 사장도 궁금해졌다.

서점만은 여전히 그 자리를 지키고 있는걸 보고 경미는 여간 반가운 게 아니었다.

경미가 육중한 철문을 열고 들어서자 예전 그 중년의 사장 대신 자기 또래로 보이는 여린 인상의 남자가 책을 정리하고 있었다.

경미가 책을 들춰보자 남자가 "제가 찾아드릴까요?"라며 말을 걸어왔다.

"아뇨. 졸업생이예요. 서점은 여전하네요"라는 경미의 말에 남자의 눈이 잠깐 반짝이더니 "알아요...불문과"

"네?"하고 경미가 놀라 하자

"우리 같은 학번. 우리 아버지가 여기 하셨고 지금은

돌아가셔서 내가 대신..."

"아, 근데 저를 어떻게...전공은?"

남자가 자신은 경영학과였다며 도서관에서 경미를 유심히 보았다고 했다. 그때 경미 옆엔 늘 혜림이나 미정이 있어 접근할 수 없었노라며 그가 얼굴을 살짝 붉혔다.

"오늘 좀 일찍 문 닫을 건데 어디 가서 저녁이라도..."라는 그의 말에 경미는 굳이 거절할 필요를 느끼지 못하고 그와 예전에 자주 가던 식당으로 향했다.

술을 얼마나 마셨는지 기억조차 나지 않을 정도로 머리가 지끈거려 경미가 눈을 뜬 건 인근 모텔이었다. 옆자리는 비어있었다. 내가 무슨 짓을 한 거지? 하고 경미가 주섬주섬 옷을 주워입는데 남자가 샤워 타월을 걸치고 욕실에서 젖은 머리를 털며 나왔다.

"깼어요?"

라며 그가 허리를 굽혀 화장대 거울을 보며 계속 머리를 말렸다.

"우리, 어떻게 된거죠?"

"그쪽이 하두 술 취해서"

"그럼 우리..."

"그럴 수도 있죠 뭐. 동문인데"라며 그가 화장대 위의 스킨로션을 얼굴에 펴 바른다.

순간, 경미의 전화벨이 요란하게 울렸다. 현수의 전화였다. 경미가 받지 못하고 쩔쩔매자 남자가 눈치채고는 "받아요 전화"하고 자리를 피해주었다.

"어디야. 너 어제 외박했냐?"라며 전화 너머에서 현수가 볼멘 소리를 해댔다.

도망치듯 학교 앞에서 택시를 잡아타고 집으로 달려오는 내내 경미는 하룻밤을 같이 보낸 그 남자의 이름조차 모르고 있다는 생각이 들었다..그렇게 와보고 싶었던 학교였는데... 택시는 더 이상 볼 수 없는 예전의 홍등가를 지나쳐 빠르게 동대문쪽으로 달렸다...

미쳤어....내가 무슨 짓을....

하는데 또다시 전화벨이 울렸다. 혜림이었다.

"어...무슨 일? 어젠 잘 들어갔고?"

"저기...3개월만 쓸게. 너 돈좀 있으면"

경미는 적당히 거절하고 전화를 끊었다. 택시는 이미 동대문을 지나 종로로 진입하고 있었다. 다정하고 애틋

한 젊은 연인들의 모습이 여기저기 보였다...

나도 저랬겠지 그때는...

그렇게 도착한 자신의 아파트 앞엔 잔뜩 화가 난 현수가 서성이고 있다.

"너 외박했냐고 묻잖아!"라는 노기등등한 그를 경미는 두 팔로 감싸 안았다.

"어? 뭐하는 거야 지금?"

"조금만....잠시만 이러고 있자..."하며 그녀는 최대한 힘껏 그를 껴안았다. 숱하게 안겨본 그의 품이지만 그 날만큼, 그 순간만큼 포근하고 평온하게 느껴진 적이 없었다.

언약

기존 작품이 하나도 없는 신인 작가를 컨택해놓고 기현은 내내 후회하였다. 원고 받아보고 퇴짜놔도 되지만 그런 일을 예사로 해대는 동료나 선배들을 보며 비난을 일삼아 왔는데 이번엔 자신이 그럴 수도 있다는 생각에 조바심이 난다.

이번 작가 공모를 통해 선발된 민영과는 작가 워크샵 때 몇번 강의를 하면서 사적인 말을 나눠봤고 한달에 한번씩 제출하는 단막극을 읽은 정도일 뿐이다.

제발 원고가 잘 나와야 할텐데...

안 그래도 방송국에서 단막극은 돈이 안되기 때문에 부정기적으로 가거나 아예 폐지할 생각까지 하고 있는 터에 원고가 좋지 않으면 그 뒤가 난감할 수밖에 없다.

"뭘 믿고 단독 작가로 가"라며 동료 s는 비아냥대기도 하였다. 그는 단막극 하나에 컨택하는 작가가 서넛은 되었다. 그중에서 마음에 드는 원고를 고르는 식이었고 그 외에도 많은 pd들이 그런 식으로 작업을 하곤 하였다.

원고를 받기로 한 시간이 다 되자 기현은 이런저런 감정이 뒤엉켜 일이 손에 잡히질 않았다. 그러고 있는데 띠링, 하고 메일 알람이 울린다. 열어보니 약속한 대로 민영의 원고가 와있다.

그렇게 애를 태우고 속앓이를 했던 민영의 원고는 대학 초년생의 청초하고 눈부시게 맑은 청춘기를 너무나 아름답고 애틋하게 그려냈다. 그럼에도 돈과 물질에 대한 욕망을 에둘러 그려내 결코 만만찮은 느낌을 주는 수작이었다. 초고에서 별로 수정이나 다듬지도 않고 기현은 촬영을 나갔고 후반 작업 때 민영을 편집실로 불러 함께 모니터하기도 하였다.

그렇게 민영의 〈사랑의 노래〉는 방영도 전에 pd들 사이에서 괜찮다는 이야기가 돌았고 기현은 앞으로도 민영과 계속 가기로 하였다. 단막극에서 시리즈물로, 그리고는 주말극까지 평생의 콤비로...

〈사랑의 노래〉는 예상대로 시청률도 높게 나왔고 호응도도 높아 기현은 그 다음 작품을 하기 위해 민영에게 전화를 걸었다.

"뭐, 다른 작업하시는 거 없죠?"

"네, 아직은..."

"그럼 , 한번 더 합시다 우리"라는 말에 민영은 대뜸 "고맙습니다"라고 응대를 하였다.

그러나 민영은 원고 마감에 임박해 메시지를 보내왔다. 사정이 생겨 원고 작업을 할 수 없다는...

기현은 순간 울컥 화가 치밀어 전화를 하였지만 민영의 전화는 통화중 멘트가 흘러나왔다. 이런식으로 수신거부 모드를 설정할 수도 있다는 글을 본적이 있는 터라 기현은 발끈했다.

신인이, 그것도 딱 한편 한 작가가 이렇게 약속을 어긴다는 건 이 바닥 생활을 접겠다는 의도여서 이걸로 김민영이라는 작가도 끝이구나, 생각하며 기현은 서둘러 아는 작가들에게 전화를 돌려 원고가 있냐고 물어댔다.

"김민영 , 이번에 태현이 형이랑 3부 특집극 들어가잖아"

이 말을 동료 s에게 들은 건 촬영일이 바싹 다가온 어느 점심 무렵이었다. 조연출 시절 친분 있던 작가w에게 원고를 받긴 했지만 그닥 마음에 들지 않아 안 그래도 이걸 찍나 마나를 고민하는 그에게 s의 말은 충격으로 와닿았다.

'태현이형'이란 cp를 말했다

"그거 사실이야?"

"야, 지난번 니들 〈사랑의 노래〉 좋았다고 태현이 형이 입에 거품 문 거 몰랐어?"라는 말에 잘 쓰고 잘 만든 탓에 결국 작가를 뺏겼구나 싶다. 어떻게 한 방에서 선후배로 근무하는 처지에 남의 작가를 뺏아 갈까, 하는 생각에 기현은 당장이라도 cp에게 가서 멱살잡이라도 하고 싶은 걸 간신히 참는다. 그리고는 애써 감정을 누르고 민영에게 전화를 하자 이번엔 벨이 서너번 울리고 연결이 되었다.

"말씀 들었습니다. 이번에 특집극 하신다고요..

"...죄송해요. 지난번 〈사랑의 노래〉잘 만들어 주신 거 보답도 못하고"

"다음엔 나랑 하는 겁니다"

"고맙습니다. 이해해주셔서"라며 민영은 조만간 밥을 사겠다고 했다.

방송계라는 게, 특히 드라마 파트에서 pd와 작가는 서로 공생하는 관계다. 그래서 사실, '작가 뺏기'는 흔하디 흔한 일이라 하소연할 '꺼리'도 안되었다. 제 아무리 재능있는 pd도 작가 잘못 만나면 한순간에 나락으로 떨어지고 그 반대 역시 성립하는 게 제작국이라는 곳이었다. 그러다 보니 좀 '쓴다'하는 신인 작가들 주변엔 일찌감치 그들을 '선점'하려는 pd들로 북적이곤 한다.

그렇게 내키지 않는 w의 원고로 작품을 만든 기현은 예상대로 시청률도 반응도 시원치 않았고 이러다 한직으로 발령이 날 수도 있겠다 싶어 다음엔 무조건 민영을 잡아야 하는 처지가 되었다. 그래서 w의 작품 〈혼돈의 집〉이 나가기도 전에 민영과 약속해 다음 원고를 받기로 하였다.

이번엔 그림에 신경 쓰고 싶다는 생각에 그는 스크립

터, 민영과 함께 지방 한 저수지 답사까지 다녀왔다. 이렇게까지 했는데 또 약속을 어기랴 싶었다..

동료 s는 이번에 시리즈물로 옮겨간다며 자랑을 하였고 기현은 은근 그가 부러웠다. 단막극에서 막히는 pd가 하나 둘이 아니었다. 그러다 결국 다른 부서로 발령이 나는 일도 허다했다. 그리 되지 않으려면 기현은 무조건 민영을 잡고 있어야 했다.

민영으로부터 넘어온 초고를 오피스텔로 돌아와 다듬던 기현이 냉장고에서 맥주를 꺼내 한 모금 마시는데 요란하게 전화벨이 울렸다. 자정이 다 된 시각이라 기현은 누굴까 싶었다. 설마, 헤어진 수경은 아니겠지,하면서도 혹시나 하는 마음이 인 것도 사실이었다. 오랜 연애 끝에 상견례까지 마친 그녀가 어느 날 불쑥 이별을 고했다. 뒤늦게 알게 된 건, pd라는 직업을 마뜩치 않아 했던 그녀의 모친이 레지던트 과정을 밟고 있는 친구 아들과 연결해주고 상대가 적극적으로 나와서 결혼을 약속하였다는 것이었다...

함께 한 시간, 서로 주고받은 언약의 말들, 그 모든

것이 한순간에 물거품이 되던 그 뼈아픈 기억이 되살아났다 그러면서도 제발 수경의 전화이길 바라고 폰을 봤지만 작가 민영의 전화였다.

"아, 작가님...무슨 일로"

"죄송해요. 수정, 못하게 생겼어요"

"그게 무슨...이제 와서 그러면"

"몸이 좀 아파요. 죄송합니다"라며 그녀는 일방적으로 전화를 끊었다. 곧이어 그가 전화를 걸었지만 전화기는 꺼져있었다. 씨발...그의 입에서 욕이 새어나왔다..

"선배 몰랐어요? 이번에 김민영 작가, s 선배랑 미니 들어가잖아요"라며 조연출 지욱이 말했다.

"뭐? s랑?"

"네...그래서 아마 선배 거 못한다고..."

그말에 기현은 곧바로 s의 책상 쪽으로 고개를 돌렸지만 그는 자리에 없었다.

지난번에 민영을 cp에게 뺏겨 분해하던 자신을 다독인 사람이 s였다. 그런 s가 이번엔 그 짓을 한 것이다.

이대로 당하고만 있을 수 없다는 생각에 기현은 민영

에게 전화를 걸었다.

민영은 운전중이라며 끊으려고 하였지만 그런 민영에게 "그렇게 살지 마!"라고 그는 소리를 질렀다.

그러자 전화는 끊어졌다... 창밖을 보니 벌써 봄꽃이 다 지고 있다. 여름....

불쑥 수경이 생각났다. 그녀를 처음 본 것도 초여름이었다. 선배 작품의 조연출을 하던 그때 야외 촬영지에서 수경과 만났다. 기현은 그 순간 그녀가 미치게 그리웠다...이럴때 수경이라도 있었으면....하는 마음에 그녀에게 전화를 걸 뻔 한 기현은 애써 그런 감정을 추스리고 제작국을 나와 커피 자판기로 향했다. 그 순간 그의 앞에 믿을 수 없는 광경이 펼쳐졌다.

저만치 엘리베이터에서 내려 자신에게로 다가오는 수경이 보였다. 기현은 자신의 눈을 의심했지만 분명히 수경이었다.

"너..."하며 그 자리에서 굳어버린 기현을 향해 수경이 조금은 긴장된 얼굴로 다가왔다.

"잘 지냈어?"

둘은 로비 대리석 의자에 나란히 앉아 커피를 마셨다.

"지금쯤, 그놈한테 시집갔겠지 했는데..."

"헤어졌어..너무 안 맞더라. 가부장적이고 나를 억업하려고 해"

그 말에 기현이 물끄러미 수경을 쳐다 본다.

"그럼, 다시 와줄래? 너는, 너만은 나 배반하지 않고 내 옆에 있어 줄래?"

기현의 그 말에 수경의 두 눈에 금세 눈물이 가득 고인다

"울보"하며 기현이 손으로 그녀의 눈물을 닦아주는데 엘리베이터가 열리며 한 무리의 사람들이 쏟아져 나온다. 멀뚱히 그들을 보던 기현과 s가 눈이 마주쳤다.

s는 기현 옆의 수경을 힐끔거리더니 다가왔다

"들었다.. 너 민영 작가랑 이번에 미니 시리즈 한다며?"라고 기현이 볼멘 소리를 했다.

"그게..."라며 s가 주저했다

"왜, 뭐가 잘 안되냐?"

"호흡이 짧아. 단막극에나 맞는...그래서 "

"그래서 깠어?"

"아직 몰라. 다른 원고가 제대로 나와야 김민영을 까지"

다시 말해 더블 플레이를 하고 있다는 것이다. 순간, 기현은 저도 모르게 s의 얼굴에 주먹을 날렸다. 그 광경에 수경이 놀라서 그를 붙잡았다.

"나쁜 새끼...더러운 새끼..."라며 그가 한 대 더 치려는데 수경이 그를 끌고 저만치 간다.

그 소동의 전말을 대강 눈치챈 제작국에서는 아무도 나와보질 않았다. 흔히 있는 일이므로....

바다가 보이는 동해 어느 펜션에서 신혼 첫밤을 맞게 된 기현과 수경이 나란히 하객 명단을 훑어보고 있다. 그러던 기현의 입에서 어? 하는 소리가 새어 나온다. 왜?하며 수경이 궁금해하자 "이 여자"라며 그가 "김민영"이라고 기재된 이름을 가리킨다.

"아는 여자?"

"내 작가...아니, 한번 같이 했던...웃기네 이 여자. 오갈 데 없어지니까 이젠..."이라며 그가 코웃음을 쳤다.

"무슨 일인지 몰라도 그래도 와주었음 고마운 거 아

냐?"라는 수경의 말에 기현은 부드럽게 그녀를 안았다.

바깥의 파도소리는 요란했고 하늘은 요요한 달빛으로 가득 찼다.

"저 이기현입니다. 잘 지내셨죠?"

신혼 여행을 다녀온 그에게 12부 미니시리즈를 들어가라는 상부의 지시가 떨어졌고 그는 고심 끝에 민영에게 전화를 걸었다.

"아, 결혼 축하드려요 감독님. 안그래도, 제가 써둔 게 있는데" 라며 민영이 반색을 하였다.

"이런 얘기 어때요? 신인 작가가 이것저것 재다 팽 당하는..."

그러자 민영은 아무 말도 하지 못한다.

"식상한가? 그럼, 뭐 요즘 젊은 애들 보는 판타지, 스릴러, 호러, 이런 거 믹스된 건요?"라며 그가 비웃듯 말하자 민영이 더이상 견디기 어려웠는지 " 다시 전화 드릴게요"라며 끊었다.

그날 하루 종일 미니시리즈 스토리 라인을 잡은 기현이 그날 저녁 퇴근길 주차장에서 다시 민영에게 전화를 걸었다. 벨이 두 세번 울리자 연결이 되었고 "아까는 죄송했어요..아니...지금까지 모두 죄송..."하더니 그녀가 울먹이기 시작하였다.

"나 김민영씨 울리려고 전화한 거 아니고요, 작품 하자고 전화한 겁니다"

"..."

"써둔 거좀 볼수 있을까요? 나도 잡아놓은 줄거리가 좀 있고"

"....제가 갈까요?"

"아뇨, 제가 갈게요... 신촌 어디죠?"

그렇게 방송국 주차장을 빠져나온 기현의 차는 매끄럽게 사거리를 빠져나가 신촌으로 길을 잡는다. 이른 달이 뿌옇게 빛을 발하는 초여름 저녁 공기를 흡입하며 기현은 오랜만에 행복하다고 생각한다.

여름비

현수는 가연이 선물로 보낸 e북을 여태 다운 받지 않고 있다. 일 때문에 바쁘다더니 역시 여유가 없구나, 하고는 괜한 짓을 했다는 생각에 e북 선물을 취소할까 하다 며칠만 더 기다려보기로 한다.

가연이 수혁과 헤어지면서 입은 막심한 경제적 피해를 만회하는 데에는 현수의 도움이 컸다. 비록 적은 급여라도 지금의 라디오 일을 잡게 해준 사람이 현수였기 때문이다.

"나 한번도 방송 글 써본 적 없는데?"라며 주저하는 가연에게 현수는 "니가 지금 찬밥 더운밥 가릴 때야?" 라며 핀잔을 주었고 그의 대학 선배가 지금 모 방송국 라디오 pd로 있는걸 알게 됐다며 그에게 가연의 이야기를 해놓았다고 했다. 그러니 자기가 불러주는 이메일 주소로 이력서와 데모원고를 보내라고 하였다.

글이라면 대학 시절, 교내 문학상에 당선작 없는 가작 입선한 단편소설을 써본 게 다인지라 가연은 영 자신이 없었지만 수혁이 가져간 자신의 피 같은 돈을 생각하면 현수의 말대로 뭐라도 잡아야 할 판이었다. 이제 한 두달이면 자신의 잔고도 바닥이 날테고 지금 오피스텔도 처분해야 할 상황이어서 '그래 한번 보내나 보자'라는 심정으로 현수가 알려준 pd 의 이메일로 자신의 이력서와 데모 원고를 보냈다.

대학을 졸업한 뒤 가연은 외국계 회사에서 마케팅 일을 오래 하다 최근 한국지사가 철수하면서 졸지에 백수가 되었다. 그게 아니어도 수혁에게 5년간 시달리다 보니 일이고 뭐고 다 때려 치고 싶던 차였다. 문제는 돈이었다. 수혁이 두 번씩이나 친구들과 벤처를 하겠다고 가져간 돈이 적지 않았고 그렇게 돈을 가져간 다음에는 어김없이 그녀를 배반했고 돈이 떨어질 즈음이면 다시 돌아오곤 하였다. 그렇게 그녀는 수혁의 atm노릇을 했다.

그렇게 두번째 it 벤처까지 망한 다음 수혁은 대뜸 '같이 살자'고 하였다. 그 말은 그때까지 월세로 있던 집에서 나와야 하는 형편이라는 말이었고 가연은 더 이상 끌려 다닐수 없다는 판단에 고개를 저었다. 그리고는 '언제가 되더라도 내 돈은 갚아'라고 하자 수혁은 쌍욕을 해대며 그녀를 비난했고 가연은 그와의 긴 연애을 마감했다. 이후로도 수혁은 술이 오르면 전화나 메시지를 보내왔지만 가연은 응답하지 않고 그렇게 시간은 흘렀다.

pd 황은 가연의 이메일을 열어보고 그녀가 써보낸 데모원고를 읽고는 그 다음날 연락을 했고 그렇게 가연은 얼마 안되는 급여지만 일단 일을 잡게 되었다. 처음엔 낯선 방송 글에 여러번 지적도 당했지만 그것도 한 달 정도 지나니 익숙해져 pd가 다시 수정하는 수고를 덜어주었다.

"나야. 방송국 앞"이라며 현수가 전화를 걸어온 건 마침 급여일이었다. 작가 같은 프리랜서는 정해진 급여날이 따로 없다고 할 정도로 돈 주는 일이 지체되는 경우가 허다한데도 pd 황은 그런 면에서는 정확했다. 안 그래도 현수에게 밥 한 끼는 사야 할 거 같아서 가연은 근처 레스토랑에서 만나자고 하였다.

"너 좋아 보인다"라며 현수가 파스타를 다 먹고 물로 입가심을 하며 씩 웃어 보였다.

그러고 보니 현수를 알고 지낸 것도 거의 10년이 돼 간다. 현수는 바로 옆 대학이었고 어느 날 가연의 학교로 원정 농구를 하러 왔다 우연히 알게 된 케이스였다.

그렇게 둘은 서로의 학교를 오가며 만났고 술을 같이 먹었고 각자 실연이라도 당하면 만나서 서로를 위로해주곤 하던 정말 '막역한' 사이였다.

가연은 자주 생각하였다. '이런 이성 친구가 있으면 굳이 결혼하지 않고 살아도 좋다'고.

그런 현수 덕에 수혁이 남기고 간 상처도 많이 아물었다면 아문 셈이고 이렇게 돈벌이까지 주선해준 게 여간 고마운 게 아니었다.

"일은 재밌구?"라며 현수가 디저트로 나온 커피를 마시며 물어왔다.

"하다 보니 재밌네. 처음엔 구어로 글을 쓰는 게 낮설었는데 이젠 그게 더 편해졌어"

"야, 너 방송장이 다 됐다"라며 현수가 되레 좋아했다.

"너, 언제 결혼하니?"

현수에게는 1년 조금 넘은 여자친구가 있었다. 가연이 알기로는 피아노학원에서 강사를 한다는데 현수는 '소개 시켜 줄게'라면서도 여태 그녀를 만나게 해준 적이 없다.

"그게 잘 안됐다'라며 현수가 머리를 긁적였다.

보기엔 당연히 결혼으로 이어지려니 했기에 가연은 내심 현수가 안됐지만 굳이 내색 하지 않기로 하였다.

"연락 오겠지 뭐"

"지난 주에 시집갔다"

그 말에 가연은 아, 하고 낮은 탄식을 하였다.

"어쩌다..."

"그렇게 됐다"

이제 서른 중반이 돼 가는 나인데도 둘 다 이성 문제, 결혼 문제를 매듭짓지 못하고 있다는 게 가연은 속이 상했다. 둘 중 하나라도 잘 됐으면 했는데...

"니 덕에 오피스텔 당장 팔지 않아도 되게 생겼어"라고 가연이 말하자 현수는 금세 안색을 바꿔 "그놈은 이제 연락 안 하는 거지?"라며 확답을 듣고 싶어 했다.

"어..."

"차단, 했어?""

"응"

그 말에 현수는 조금 마음을 놓는 눈치였다.

"오늘 이거 내가 사는 거"라고 가연이 말하자

"오늘 돈 탔냐?"

"응. 니 덕에"라며 그녀가 웃자

"야 임마 그럼 현금으로 줘야지"라고 하였다

"그런가?"라며 가연이 폰을 열고 이체 하는 시늉을 하자

"농담 농담"하며 그가 손사래를 쳤다.

그리고 보름후, 현수는 다시 연락을 해왔다. 직전에 녹화가 끝나 가연 혼자 남아 부스 뒷정리를 하는데 현수에게서 전화가 걸려왔다. 지나는 길이라며...

하기사 매일 보면 어떠랴,하는 마음으로 가연은 서둘

러 부스를 빠져 나와 현수와 약속한 1층 로비로 내려갔다. 현수는 그동안 이발을 해서 전체적 인상이 달라져 있었다.

"머리 깎았네?"

"백수 티가 너무 나잖아"

"백수?"

현수는 사촌 형이 하는 작은 무역 회사를 다니고 있었다. 그러다 코로나가 터져 한동안 힘들어하다 요즘 다시 경기가 좋아졌다고 한 거 같은데 백수라니...

"아무래도 내 사업을 해야 할 거 같아. 이 나이에 어디 받아 주는 데도 없고"라는 말에 가연은 퍼뜩 수혁이 떠올랐다. 이런 말 뒤에는 꼭 '돈이야기'가 나오곤 하던..

지난번 먹은 그 파스타를 시키고 기다리는 동안 가연은 아무래도 이 부분은 분명히 해야 할 거 같다

"미안한데, 돈 때문에 , 그 얘기 하러 온 건 아니지?"

그 말에 현수의 두눈이 휘둥그레졌다.

"야, 날 뭘로 알고!"

"아, 미안"

"하긴, 그 자식한테 니가 웬만큼 당했어야지"라며 그가 유리컵의 물을 마신다.

"그래도 뭐라도 해야지"라며 가연이 자세를 고쳐앉는데

"그러게..."라며 현수가 애써 웃어 보였다.

아무래도 현수가 자신에게 돈 얘기를 하러 온 거 같다는 생각에 가연은 이틀 밤을 꼬박 잠을 설쳤다. 자신의 처지와 이리 된 경위를 알면서 어떻게, 라는 생각과 그래도 현수라면 자신이 여건이 되는 한에서는 도와야 한다는 반대 생각 사이에서 그녀는 혼란스러웠다.

오랜만에 와본 대학 교정은 많이 달라져 있었다. 저만치 비를 피해 곧잘 올라가던 작은 동산이 없어지고 그 자리엔 둔중한 건물이 새로 들어섰다. 안 그래도 작은 공간이 더더욱 비좁고 답답하게 여겨졌다.

"야, 니네 학교 이젠 제법 대학 교정 같다"라며 현수가 은근 비꼬았다.

"그래, 니네 학교 부자라서 좋겠다"라며 가연이 투덜댔다.

둘은 오랜만에 학교나 가보자는 말에 주말에 학교를 찾았다. 담장만 넘으면 곧바로 서로의 학교인지라 두 학교 모두 둘러보기로 한것이다.

둘이 그렇게 운동장을 지나는데 저만치서 예전의 현수가 한 것처럼 농구에 열중해있는 한 무리의 남학생들이 눈에 들어왔다. 현수는 그 자리에 멈춰 한참을 쳐다본다.

"너도 가서 하구 오든가"

현수의 마음을 읽은 가연이 그리 말하자 "기다릴래?" 하고는 마침 자기 앞으로 굴러온 농구공을 집어 들고 무리에 합류했다.

이렇게 현수가 자기 학교에 와서 농구를 하던 모습은 대학 시절 가연의 아름다운 추억의 하나였다.

물끄러미 그런 현수를 쳐다보다 그녀는 문득 '현수와 결혼해도 좋겠다'라는 생각에 이른다. '내가 프러포즈 할까?'라는 생각을 하자 쿡 , 웃음이 새어나왔다

농구를 마친 현수와 학교 앞 호프집에 들어서서 맥주

와 과일 안주를 시키고 한참 수다를 떨다 보니 정말 예전 대학시절로 돌아간 것만 같다.

"잊어아 잊어"라며 가연이 가볍게 그의 잔에 건배하자

"뭘?"하고 의아해 하더니 "아 걔...다 잊었다 벌써. 니가 있는데 뭐"라며 현수가 대답했다

그리고 그날 밤 둘은 취기를 핑계 삼아 대학 근처 모텔로 향했고 처음으로 함께 잠을 잤다.

현수도 그런 말을 한 거 같다. "너라면 결혼해도 좋을 거 같아"라고 .

다음날 새벽, 24시 해장국 집에서 서로 마주 앉아 밥을 먹다 현수가 힘겹게 말을 꺼낸다.

"이거 정말 하면 안되는 얘긴데..."

"돈 얘기면..."

"그래. 너, 어떻게 당했는지 다 아는데. 밥이나 먹자"라며 현수가 말을 끊으려 한다.

"...얼마나 필요한데?"

현수는 가연이 대출 받아 준 돈으로 예정대로 작은

완구사업을 했고 얼마 지나지 않아 아동도서까지 취급하게 되었다.

"은근 책이 잘 나간다"라며 현수가 소줏잔을 비우며 좋아했다

"내 돈 떼 먹음 안돼!"라고 가연이 말하자 "니 돈이 내 돈이고 내 돈이 내 돈인데 뭐"라며 그가 짓궂게 웃었다. 그리고 그날 밤, 둘은 두번째 동침을 하였다.

현수는 일이 잘 풀려 조만간 중국 거래를 할거라며 곧 출국 한다고 그녀의 귀에 대고 속삭였다.

중국 출장을 간 현수를 놀래키고 싶다는 생각에 가연은 녹화가 끝나자마자 택시로 인천으로 향했다.

이 나이가 되도록 운전을 못한다는 게 여간 불편한 게 아니어서 가연은 현수와 결혼하면 제일 먼저 운전부터 그에게서 배워야겠다 생각했다.

지금쯤 컨베이어 벨트에서 자기 수하물을 찾고 있겠지, 하며 택시에서 내린 가연의 눈에 저만치 현수가 들어왔다. 현!....하고 부르려는데 그 옆에 20대 중반으로 보이는 앳된 여자가 그에게 밀착해 공항에서 나오는 게 보였다. 뭘까 지금 이 상황은?

그때 마침 현수쪽에서 가연을 알아보았다.

그는 주저하더니 가연에게로 다가왔다

"설마, 나 마중 나왔어?"

하지만 가연의 시선은 어린 그녀에게 꽂혀있다.

"우리 직원..."하며 현수는 앳된 여자를 소개시키려 한다.

"안녕하세요. 말씀 많이 들었어요. 오빠 많이 도와주셨다고"라는 그 어린 여자의 말에 가연은 순간 현기증을 일으킨다. 휘청이는 그녀를 현수가 재빨리 부축한다.

"됐어...너, 마중 나온 거 아냐. 유학 간 친구가 온다고 해서.."라며 가연은 서둘러 그 자리를 벗어났다.

"이번에 중국 일 잘 되면 니 돈 갚으려고 했는데"

"그래서....언제 되는데?"

"조금 늦어질 거 같아. 상대가 의심이 많더라고. 여기 현장 보고 결정한대"

돈을 주기로 한 날이 되면 현수는 그렇게 말하며 차일피일 미루었다.

그러면서도 가연과 동침한 부분에 대해서는 아무 언급이 없었다.

"니들, 깊은 사이 아직 아니면"

가연 쪽에서 힘들게 결혼 이야기를 꺼냈다. 어린 여자에게 잠시 흔들릴 수 있다고 생각하였다.

"지난주에 부산 다녀왔어. 걔 친정이...그러니까 본가가 거기"라며 현수가 말했다. 그리고는 곧장 "니 돈..." 하며 돈 이야기로 말을 돌렸다. 순간 가연은 현수와의 결혼은 애당초 불가능해졌음을 스스로에게 인지시켰다. 그래서 털어버리고 하고는,

"...그래, 빨리 줘 . 내 사정 알잖아"

"내 말은 너, 남자한테 돈 막 주고 그러지 말라는 거야. 만약 혼자 살게 되면 돈이 필요한데"

이제 서른 중반인 가연이 줄창 혼자 살 거라고 얘기하는 현수가 순간 얄밉고 원망스러웠다. 한편 그런 말을 하는 그가 가증스러웠다.

"나랑은 왜 잔 거니?“

마침내 그녀는 참아온 그 말을 내뱉고 말았다.

"그건...그건 미안했다"라며 현수가 다 비워진 커피잔을 만지작거리며 말했다. 그의 손이 떨리고 있었다.

마음이나 모질든가...

현수와 헤어져 택시에 오른 가연은 도심을 통과하면서 온갖 악질 짓을 다 하고 떠난 수혁이나 현수가 결과적으로는 별 차이 없다는 생각을 한 거 같다. 그러다 나른한 피로감에 잠시 졸았고 꿈결인 듯 메시지 알람이 들려왔다. 그 소리에 눈을 뜬 가연은 자신이 현수에게 보낸 e북 선물이 기한이 다 돼서 자동 취소되었다는 내용을 확인한다...

밖에서는 갑자기 여름비가 쏟아지기 시작한다.

믿었던 그대

소진은 하루 종일 그에게 전화를 걸지만 그는 받지를 않는다. 중간에 음성사서함으로 넘어가기를 여러번... 3년 연애 도중 둘이 헤어지고 만나고를 반복한 게 아마도 수십 번은 되리라. 그렇게 힘들게 끌어온 만남인 만큼 소진은 가능하면 결혼으로 매듭짓고 싶지만 다 된 결혼이야기라고 믿으면 그는 틀어버리곤 하였다.

"나, 니 명의 집엔 안 들어가 "라며 현욱은 약속을 뒤집곤 하였다.

분명 이전에 소진의 집에서 신혼을 시작하기로 약속을 했지만 조금만 기분이 상하거나 마음에 안 들면 그는 이런 식으로 모든 걸 원점으로 돌려놓았다. 물론 이것이 단순히 누구 명의의 집이냐의 문제가 아니라는 건 알고 있지만 집 명의까지 바꿔주면서까지 결혼이란 걸, 그것도 현욱과 하기는 싫은 것이 솔직한 그녀의 심정이었다.

대학 졸업 후 아르바이트로 들어간 지금의 출판사에서 딱 10년을 편집기자로 일한 그녀는 이미 회사에 결혼으로 인한 퇴사를 말해놔서 그걸 번복한다는 게 쉽지 않았고 설령 계속 다니게 된다 해도 구설에 오를 게 뻔했다. 현욱과 결혼하면 프리랜서 편집 일을 하면서 그동안 해보고 싶었던 방송극을 써서 목돈을 벌어보겠다는 그녀의 계획과 바람도 현욱의 변덕에 물거품이 되는 듯했다.

이번에 또 현욱과 틀어진 건, 영화를 보러 가서였다.

현욱은 무인 발권기에서 티켓을 한 장만 구매하였다.

"내 거는?"

"니 건 니가 사"라며 매몰차게 나오던 그를 소진은 더이상 견딜 수가 없었다

"이럴 거면 혼자 오지, 왜 같이 오자고 했어"라고 쏘아붙이자

현욱은 안경을 고쳐 쓰며 그녀를 노려보더니 아무 말 없이 상영관 안으로 들어가 버렸다.

조금 전 그녀가 값을 치른 샤브샤브 정식을 정신없이 먹어대 놓고 어떻게 저런 행동을 할 수 있을까, 하며 소진은 영화를 보지 않고 상영관 앞 의자에서 2시간을 내내 기다렸다. 이번엔 어떻게든 결말을 내겠다는 생각을 하면서...

그리고는 2시간의 긴 영화가 끝나고 상영관을 나오는 현욱에게로 다가가서 "얘기좀 해"라고 하였다.

그러나 현욱은 "할 말 없어"라며 그녀를 무시하고 엘리베이터에 올라버렸다. 그녀는 어이가 없어 닫히는 기계 문을 멀뚱히 쳐다보아야 했다.

그래도 현욱의 차가 주차돼있는 주차장에서는 만날 줄 알았지만 현욱의 흰 suv는 어디에도 없었다. 이쯤이면 이미 끝나버린 건가, 라는 생각이 들 수밖에 없는 소진은 잘 알지도 못하는 신촌 거리 여기저기를 헤매다 어둑해서야 외곽 자기 아파트로 돌아왔다.

온수에 몸을 담그자마자 울컥 설움이 복받쳐 올랐다.

둘은 담당 기자와 작가로 만나 현욱의 적극적인 대시로 사귀기까지 하였지만 그의 잦은 변덕을 받아준다는 게 여간 피곤하고 고된 게 아니었다. 그러다 보면 소진 자신의 자존감은 곤두박질을 쳤고 꼭 싫다는 남자에게 매달리는 여자 꼴이 돼서 그녀는 몇 번이나 이 관계를 끊으려 하였지만 그러면 또 현욱 쪽에서 놓지를 않았다.

현욱은 아무리 없이 살아도 차는 있어야 한다며 하필 그녀가 폐렴에 걸려 입원해있을 때 새 차로 바꿔 달라고 닦달을 하였다. 기자 월급이 빠듯한 걸 누구보다 잘 아는 그가 , 그것도 병상의 그녀에게 그렇게 채근한 것에 그녀는 적잖이 배신감을 느꼈지만 그의 말대로 요즘 '차없이 산다는 불편함'을 누구보다 잘 알기에 대출을 받아 그의 지금 suv를 사주었다. 그리고는 한동안 평온하게 흘러가는 듯 싶었지만, 어느날 현욱이 불쑥 "카드 없이 살려니 여간 불편한 게 아니다"라고 토로하였다.

현욱은 한때 잘나가는 베스트셀러 작가였고 그때 번 돈으로 신촌에 꽤 크게 술집을 냈는데 그것이 도중에 부도가 나면서 신용불량자가 돼버렸고 그 결과 신용 카드 한 장 없었다.

안 그래도 번번이 음식값이나 주유비를 낼 때 자신의

카드를 주는 게 번거로웠고 현욱 입장에서는 모멸감도 느낄 것 같아 소진은 카드 한 장을 주려 하던 참이었다.

그러나 소진이 내민 카드를 현욱은 마지못해 받는 시늉을 하더니 '쓸 일이 있을까'라고 말하면서도 자기 폰 지갑에 넣었다 . 그리고는 바로 그날 오후부터 그는 줄창 카드를 긁어댔다. 조금 전 밥을 먹고 헤어졌음에도 먹거리 비용으로 5만 원 넘게 쓰더니 이어서 주유비로 20만원...

이런 식의 그의 폭주를 조금이라도 막기 위해서는 아무래도 한도설정을 해야할 거 같아. 한 달 50만으로 설정한 뒤 그에게 알려주자 그는 대번에 '내가 그지냐? 안 써"라며 화를 냈다.

하기사, 돈 50으로 어떻게 도시 살이를 하랴 싶어 소진은 한도를 풀었고 이후로 한 달에 최소 200은 그의 카드비로 지출을 해야 했다. 그래도 그녀는, 그가 자신의 카드를 쓴다는 것은 '장래를 같이 한다'는 언약으로 여기고 그대로 두었다.

그러나 현욱은 조금만 심사가 뒤틀리면 관계에 흠집을 냈고 그것이 계속 되다 보니 소진은 지칠대로 지쳐버려 '이별'을 통보해야 했다. 그러면 오히려 모든 잘못을 소진에게 전가시키고 자신은 '피해자' 코스프레를 하곤 했다.

다신 안 본다, 혼자 사는 한이 있어도 다신 현욱을 보지 않겠다 다짐하고 애써 참고 있노라면 그는 일주일을 넘기지 않고 다시 연락을 해왔고 그렇게 질질 끌려가듯 그 관계는 오랜 시간을 계속돼왔다.

며칠 전 영화관 일도 있고 해서 소진은 이번엔 분명하게 매듭을 지어야겠다 생각하고 회사 일도 하는 둥 마는 둥 하면서 그에게 전화를 걸었지만 현욱은 받지 않고 음성사서함으로 돌려버린 것이다. 퇴근하면 아무래도 그의 집으로 가봐야겠다 생각하고 소진은 서둘러 업무를 마무리하고 조금 일찍 나와 택시를 잡았다.

어릴 때 교통사고를 당한 탓에 그녀는 운전 배울 엄도를 내지 못하고 여태 뚜벅이로 살고 있다.

그렇게 현욱의 원룸 건물 앞에서 내린 소진이 다시

전화를 하자 이번에는 거의 끊어질 즈음 현욱이 전화를 받았다.

"왜"

예의 퉁명스런 그의 음성에 소진은 말문이 막힌다.

”할 말 없으면 끊어!“라고 그가 볼멘 소리를 한다.

"우리, 이제 안 보는거야?"

"야 전화 끊어!"라며 그가 전화를 끊을 태세다.

"내가 뭘 잘못했어? 그거나 알자"라고 소진이 다급하게 말을 잇자

"가끔은 눈 딱 감고 봐주는 게 없어 넌. 시시콜콜 따지고 카드비 몇 푼 대준다고 날 거지 취급해" 라며 그가 화를 냈다.

소진은 아무리 기억을 더듬어봐도 그를 무시하거나 거지 취급을 한 적이 없다

"아무튼 만나 우리 . 자기 집 앞이야"

"보고 싶음 니가 올라오든가 아님 그냥 가든가 맘대로 해!"라며 그가 전화를 끊어버렸다.

소진은 '뚜뚜'거리는 폰을 한참 들여다보다 이제는

정말 마침표를 찍어야겠다는 생각을 한다.

부부인 양, 거의 그렇게 된 양 대해오고 챙겨준 상대가 저렇게 나오는 걸 그녀의 상식으로는 도저히 이해할 수가 없었고 더 이상 그럴 필요도 느끼지 못했다.

그리고는 다시 택시를 타고 먼길을 달려 자기 집에 들어서며 그녀는 그에게 준 카드를 막기로 했다.

알려줘야 되나, 하다가 , 그랬다가 또 어떤 폭언을 들을까 싶어 그녀는 따로 알리지 않고 카드를 일시정지시켰다. 그리고는 밤새 펑펑 울었다...지난 3년이 '잃어버린 시간'이라는 생각, 그에 대한 애증의 감정, 그리고 그리움이 뒤엉켜 소진은 한숨도 잘 수가 없었다.

다음날, 자기가 담당한 작가 s와 시내에서 만나기로 돼 있어 그녀는 자료를 준비해 서둘러 사무실을 나오는데 메시지 알람이 울렸다. s의 메시진줄 알고 다급히 열어본 폰에는 '카드 승인 거절 일시정지카드 일시불 300000원'이라는 문구가 적혀있었다. 그가 막힌 카드를 그은 것이다. 바로 전날 자신을 그리도 무시해놓고 그 카드는 쓰려 했던 것이다. 그래, 어차피 끝날 거, 이렇게 완전히 매듭지어졌다는 사실이 한편은 소진을 편안하게 해주었다....

그러나 작가 s와 작품, 계약 이야기를 하는 동안 내내 소진의 폰은 악의에 받친 현욱의 메시지로 계속 알람이 울려댔다.

'지금까지 날 거지 취급을 하더니 급기야 카드도 끊어?...이럴줄 알았어. 돈좀 있다고 사람 무시하고 갖고 놀더니...."차마 읽을 수 없는 막말에 가까운 메시지를 그는 계속 보냈다.

자꾸만 알람이 울려대자 작가 s가 신경 쓰는 눈치여서 소진은 아예 폰을 꺼버렸다.

"니가 날 개로 보니? 소로 보니? 나쁜 년"이라며 기세등등한 현욱은 금방이라도 소진을 치기라도 할 기세였다.

"다 끝난 거 아냐? 그런 식으로 날 대한다는 건?"

"니가 그렇게 잘 났어? 돈 몇 푼 쓰게 해준다고 날 막 봐?"라며 그가 정말 한 손을 치켜들었다.

순간 소진이 그 올라간 팔을 붙잡았다.

"어쭈? "라며 그가 조금은 긴장하는 눈치였다.

"너 이렇게 살지 마. 그 벌을 다 어떡하려구"라며 그녀가 그의 팔을 놓았다.

그러자 3년간 자주 보아온 현욱의 싸늘하고 비열한 시선이 그녀의 두 눈에, 가슴에, 온 몸에 와서 꽂혔다.

에이씨, 하고 그는 폰 지갑에서 그녀가 막아버린 카드를 꺼내 바닥에 던져버린다... 그리고는 저만치 주차돼있는 자신의 suv로 가는가 싶더니 고개를 홱 돌려 '이 차도 팔아서 주랴? 니 돈으로 산 거니까?'라며 소리쳤다.

현욱의 차가 단지를 다 빠져나가자 그제서야 소진은 참았던 눈물이 한꺼번에 흘러 내렸다. 바닥에 떨어진 카드를 집어 들고 우두커니 서 있는 그녀를 같은 동 중년 여자가 알아보고 까딱 목례를 한다. 그녀도 얼결에 인사를 하고는 그녀를 따라 열린 공동현관 안으로 들어 간다.

3류의 사랑

"제가 강연주 맞는데요. 누구신가요?"

연주는 막 유통사 등록창에 e북을 올리고 한숨을 돌리다 그의 전화를 받았다.

"나야...바보. 이 강수"

그 말에 연주는 이강수?하면서 아득한 기억의 저편을 더듬어야 했다..아, 그 이 강수.

10여년 전 연주가 야간대학원 문창과를 다닐 때 한 두 번 말을 나누었던 학과 선배였다. 결과적으로는 선배라고 할 것도 없는 게 연주가 그 학교를 졸업하지 않고 타 대학 대학원으로 옮겨갔기 때문이다.

이강수. 그는 몇 안되는 학과내 기혼자였고 술이 불콰하게 오르면 품에서 가족사진을 꺼내 은근 자랑을 해대곤 하였다. 아내가 약사라며 으스대기까지 하였다.

"아, 강수 선배"

선배라는 말이 마뜩치 않았지만 그렇다고 이강수씨라

고 부르는 것도 어색해 연주는 그리 불렀다.

한번 보자는 강수의 말에 연주는 '우리가 다시 볼 사인가?' 의아했지만 그래도 굵직한 소설을 여러 권 낸 작가이고 해서 알아둬서 나쁠 건 없다 싶어 그의 제안을 수락했다.

"와이프 갔다"라는 강수의 말에 연주는 마시던 생맥주를 뿜을 뻔했다. 간신히 위기를 면하고 냅킨으로 입가를 닦으며 왜? 라는 표정을 짓자, "그냥 뭐. 좀 아팠지"라며 그는 말을 잇지 않았다.

어디까지나 그의 사생활이어서 연주는 그냥 책 얘기로 돌리는 게 낫다 싶다.

"선배, 나 출판사 하잖아"

"그래. 들었다"

"어디서 들었어?"

"그냥 뭐.,."

그의 이런 말끝 흐리기는 10년 전이나 지금이나 같다는 생각이 든다. 그래서 조금은 의뭉스런 느낌?. 연주는 아주 가까운 이들 외에는 출판 이야기를 하지 않았는데 정말 '발 없는 말이 천리를 간 걸까'싶다...

1년 전 연주는 10년 넘게 다닌 외국계 회사에서 사전 통보도 없이 하루 아침에 해고되었다... 구조 조정 중이라는 이야기는 돌았지만 그게 자신의 일이 될 줄은 몰랐기에 그녀는 적잖이 충격을 받았다. 그리고는 동종업계 여러 군데 이력서를 내보았지만 답이 없거나 에둘러 거절의 뜻을 밝혀왔다. 다들 세계적 불경기에 인원 보강할 여력이 없다는 대답들이었다.

그렇게 실업자 생활을 하다 보니 이런저런 불안감은 증폭되었고 때마침 난데없는 여동생의 혼전임신과 그에 따른 다급한 결혼, 그 자금을 자신이 떠맡게 되었고 퇴직금의 상당액을 거기에 쏟고 나니 경제적 위기까지 밀려 왔다. 이걸 어떡하나...하고는 웹을 뒤지고 1인창업을 검색하다, 그래도 대학 때 대학신문을 만든 경험이 있어 1인 출판을 해보기로 마음먹었다. 3년까지 승부가 안 나면 접겠다는 마음으로...

주위에서 지금이 어느 세상인데 책 장사를 하냐고 했지만 배운 도둑질이 이거라 다른 건 엄두가 나지 않았고 지금은 접었지만 한때 작가를 꿈꾸기도 했던 자신에게 그나마 큰 거부감 없는 분야라 생각되었다. 그렇게 알음알음 작가 지인들로부터 선인세 명목으로 약간의 돈을 주고 원고를 받아 출판한 게 벌써 여러 달째다. 수익은 보잘 것 없었지만 일에 슬슬 재미가 붙었고 그러다 보니 속도도 붙어서 벌써 10종 넘게 출간을 하였다. 하지만 언제 접을지 모르는 일이라 가까운 친구나 지인들 외에는 말을 하지 않았으므로 강수가 알게 된 경위가 자못 궁금했다.

"너, 내 책좀 내라"

강수는 술이 불콰하게 올라 벌건 얼굴로 말했다.

"나 그냥 선인세 조끔 주고 신인들 것만"

"언제까지 구멍가게 하려고? 될 걸 내야지"라며 강수는 은근 연주를 걱정하는 눈치다. 하기사, 강수 정도 작가의 작품이라면 그래도 매니아 층을 상대로 제법 장사가 되겠다는 생각이 든다. 그러나 연주는 어딘가 찜찜한 느낌은 지울 수가 없어서 "다음에. 내가 좀 크면" 이라고 했지만 강수는 막무가내였다.

"초고는 다 써놨어. 총 1000장 되는 장편인데"

"..."

이제 어쩔수 없이 계약 이야기로 들어가야 하는 상황이 되었다.

"나 돈이 별로 없어"라는 연주의 말에

"많이 안 줘도 돼. 세 번에 나눠서 200씩만 주면 된다. 내가 초고 넘길 때, 수정고 때, 완성고 때. 이렇게 세번"이라는 말에 연주는 총 600이나 되는 선인세를 줘야 한다는 게 부담이 되었지만 설마 그 돈을 회수 못하랴 싶어 마지못해 그러기로 동의했다.

그리고는 며칠후 강수는 초고라며 정말 원고지 1000매 분량의 소설 원고를 연주의 이메일로 보내왔다. 스토리가 선명하게 드러나 일단 대중성은 확보하였고 잔인하고 비열한 남자 주인공의 캐릭터도 인간의 본질을 잘 말해주는 거 같아 작품성도 이 정도면 됐다는 판단이 섰다. 이제 이걸 잘 다듬어 완성고를 받으면 된다는 마음에 그녀는 약속대로 중간 수정고가 건너왔을 때 200을 추가 입금했다.

"야, 나머지 200좀 당겨 주라"라는 강수의 전화를 받고 연주는 "그건 완성고"라고 하는데 ""짜샤. 내가 그거

안 줄까봐?"라며 그가 압력을 넣었다. .마침, 얼마전 출간한 지인의 에세이 집이 그나름 선방 중이어서 돈 200이 없지는 않았고 나중에 몇배는 벌겠지,하는 마음에 연주는 그 다음날 200을 마저 입금하였다.

그러고나자 강수가 술을 사겠다고 했고 연주는 극구 사양했다. 왠지 깊이 얽히고 싶지 않다는 본능적 거리낌 같은 것이었다. 그러나 강수는 어느 날 연주의 동네까지 왔노라며 빨리 나오라고 닦달을 하였다. 연애하는 남녀 간도 아니고 이게 뭘까,하는 내키지 않는 구석이 있었지만 맥주 한잔쯤이야,라는 마음으로 연주는 동네 맥줏집으로 나갔고 결국 다음날 새벽 그녀가 눈을 뜬 곳은 동네 모텔이었고 옆에는 벗은 강수가 누워 코를 곯고 있었다.

그러나 그날 이후 강수로부터는 연락이 끊어지고 연주는 불안에 시달리기 시작했다. 이젠 단순히 작가로만 대할 수도, 한번 같이 잤다고 단번에 연인이라 할 수도 없는 강수를 어떻게 대해야 할지, 그의 무소식은 또 어떻게 받아들여야 할지 알 수가 없었다. 그러다 보니 일도 제대로 되지 않아 여러 번 해본 납본에서조차 세 번씩이나 퇴짜를 맞아 다시 해야 했다.

그렇게 무소식이던 강수로부터 연락이 온 건 2주는 너끈히 지난 다음이었다. 그것도 한밤중에.

"선배 어떻게 된 거야"라는 연주의 말에 그는 짜증스레 대답했다

"궁금하면 니가 연락하면 되지"

그 말에 연주는 앞이 캄캄해진다. 순간, 이 남자의 의도는 뭘까 궁금했지만 책을 준다고 해서 시작된 만남이니 책이 넘어오면 끝내자 하고 마음을 다잡았다.

"야, 나 지방 강연 가야 하는데"라는 그의 말에 연주의 머리엔 돈?이라는 물음표가 둥둥 떠다녔다.

"잘 갔다 와요"라며 모른척을 했지만,

"임마.. 그게 아니고...기름 값은 있어야 가지"라고 그가 너무나 태연하게, 마치 수십 년 살 비비고 살아온 마누라한테나 할법한 톤으로 돈을 요구했다.

연주는 뭔가 꼬여도 잔뜩 꼬였다는 생각이 들어 차라리 돈 600을 포기하고 이 관계를 정리하는 게 낫겠다는 생각까지 들었다.

"날 밝으면 고속도로 막혀. 빨리 좀 보내라"라며 돈 100을 요구했다.

그의 이런 강압적인 태도에 연주는 발끈했지만 "빨리 넣어라"라며 전화를 끊어버리는 데에는 당할 재간이 없었다.

이후로도 그는 돈을 자주 요구했고 연주쪽에서 화를 내거나 내켜하지 않아도 마치 '맡긴 돈 가져 가듯' 그렇게 연주의 돈을 가져다 쓰곤 했다.

연주는 이 관계의 근원을 아무리 거슬러 올라가도, 술 먹고 한번 같아 잔 거 외에는 아무 연결 고리가 없다는 결론에 이르렀지만 언제부턴가 그의 연락을, 그의 문자와 이메일을 기다리는 자신을 발견하게 되었다.

"선배, 이젠 완성고 줘야지"라고 어느 날 그녀가 요구하자 "다듬고 있어"라며 그는 일주일만 말미를 달라고 하였다. 하지만 일주일 후에도 원고가 오지 않아 애가 탄 연주가 그의 동네로 찾아가 전화를 걸었지만 중간에 음성사서함으로 돌아가 버렸다. 자신의 전화를 피한다는 사실에 연주는 그와 함께 한 지난 몇 달이 섬광처럼 스쳐 갔다. 그런데 그 다음을 이은 건 그에 대한 분노도 원망도 아닌 그리움이었다. 어서 그를 보고 싶다는. 한번만, 한번만 얼굴을 보고 싶다는 마음에 그녀는 언젠가 그가 가르쳐준 그의 원룸으로 향했다. 그리고는 그의 방문을 열어준 건 슬립 차림의 한 여자였다.

"원고 받으러 왔어"

입술을 질끈 깨물며 연주가 손을 내밀자

"너, 이거 광고 제대로 할 수 있어?"라는 뜬금없는 대답이 돌아왔다.

"그건 내가 알아서 해. 돈 600 다 건너 갔고 , 그래, 다른 돈은 내가 안 받는다 쳐도 원고는 줘야지"라고 했다.

"안 준다는 게 아니라...이거, 그냥, 아마추어가 막 내고 그래도 되는 원고 아니거든?"

그 말에 연주는 온몸이 부들부들 떨려 왔다.

"너도 알다시피 나 사는 꼴이 이렇잖아. 이거 팔아서 돈좀 벌어야 돼. 너는 시작한 지 얼마 되지도 않았고... 아직 인맥도..이거 일간지도 타야 하고 동영상도 제작하고 그래야 되는 거지 싸구려 아냐"라며 그가 애먼 소리를 했다.

"나쁜 자식"

"그래.. 나 나쁜 자식이야. 고소해라. 위약했다고"

고소? 연주는 자기도 생각해본 적이 없는 말이 그의 입에서 흘러나오자 어이가 없다. 이럴 생각이었던 거야 처음부터...다 계획된. 어디 원고 팔 데가 없으니 자기한테 들러붙어 피를 빨아먹었다는 생각이 그녀의 속을 후벼 팠다.

부들부들 떨던 그녀가 마지막으로 "넌 3류도 못돼. 쓰레기야 쓰레기"하고 돌아서는데 "저기요"하고 자기를 부르는 여자의 소리가 들려왔다.

연주가 고개를 돌리자 "오빠 빚, 제가 다 갚을게요. 조금만 기다려주시면..."이라며 그의 여자가 애원을 하였다. 자세히 보니 연주보다 한참 어려보였다. 그리고 나서 여자는 강수를 끌고 원룸 안으로 들어갔다.

그런 둘을 멀뚱히 쳐다보던 연주는 더 이상 이곳에 머물러야 할 이유가 없음을 깨닫고 발길을 돌렸다.

그때 자신의 컬러링이 울렸다. 강수의 전화였다.

전화를 받은 그녀가 아무말도 안 하자 강수가 조금은 갈급하게 입을 뗐다.

"나는 주려고 했어 분명. 니가 아직 상황이 안돼서 못 받은 거지"

"..."

"빨리 커라. 그럼 내가 다른 거 잘 써서 줄게"하고 그는 전화를 끊었다.

그녀가 골목을 다 나올때까지 되뇌인 '개자식'이 한 100번은 되는 거 같다. 버스며 지하철을 갈아탈 기력이 없어 그녀는 마침 오는 빈 택시를 불러 세웠다.

금요일의 연인

지난번 살던 단지는 수시로 분리배출을 할 수 있어 집안에 쓰레기가 쌓이질 않았는데 얼마 전 이사 온 이 아파트는 일 주일에 한 번 금요일만 한다고 해서 1주일 동안 잔뜩 쌓아둔 배달앱 용기들이며 우유 통, 생수 페트 병을 분리해놓은 꾸러미를 양손에 들고 기영은 엘리베이터에 올랐다. 아직은 초봄이라 새벽공기는 차가웠다.

그렇게 자기 동 앞에서 벌어지는 분리배출을 하며 그는 '엇 추워!'를 연발했다. 그러고 보니 잠옷 위에 카디건만 걸치고 나온 건 자기뿐이었다. 다들 한겨울 패딩을 입고 여기저기 바쁘게 움직이고 있었다.

페트병과 일반 플라스틱을 구분해서 넣다가 어? 하는 소리가 기영의 입에서 자기도 모르게 튀어나왔다. 매주 금요일이면 새벽 장이 선다는 걸 알고는 있었지만 거기서 자기 또래의 한 젊은 여자가 난롯불에 손을 쬐며

야채를 팔고 있었고 단번에 정미임을 알아보았다... 아무리 세월이 흘렀어도 그녀를 잊을 수는 없었다. 그는 분리배출을 마치고도 한참을 우두커니 서서 그녀를 바라보다 드디어 정미와 눈이 마주쳤다.

정미는 재빠르게 시선을 돌렸지만 기영은 어느새 그녀 앞으로 다가가고 있었다.

그러자 정미도 체념한 듯 그와 눈을 맞췄다.

“어서 오세요"라는 정미의 거리를 둔 말에 기영은 순간 숨이 멎는 것만 같다. 분명 자기를 알아봤음에도 완전히 남처럼 대하는 그녀를 기영은 뭐라 부르고 어떻게 대해야 할지 난감하다.

"오늘 콩나물이랑 시금치 신선해요"라며 그녀가 앞쪽 매대에 진열된 두 가지를 가리켰다.

그런 그녀의 태도에 기영은 차마 "조정미!"라고 이름을 부를 수가 없다. 지난 세월이 둘의 거리를 이만큼 벌려놓은 것이다.

"시금치랑 콩나물, 그리고 두부도 한 모만.."이라고 말끝을 흐리자 정미는 재빨리 그가 요구한 것들을 비닐에 담아 건넨다. 그가 돈을 내려고 주머니를 뒤적이자

"돈은 됐어"라고 그제야 예전에 정미로 돌아갔다.

"어디 가서 차 한 잔 할래?"

"지금 문 연 데 없어"라며 그녀는 다시 시선을 돌려 버렸고 기영은 우두커니 한참을 서있다 "또보자"라며 돌아서서 자기 동으로 향했다. 중간에 힐끔 돌아보자 자기를 바라보고 있는 정미와 시선이 마주쳤지만 다시 그녀에게로 돌아갈 수는 없었다.

자기를 무참히 버린 여자 조정미. 기영은 지방대를 나와 작은 무역 회사를 다니다 거래처 여직원 정미를 알게 되었고 둘은 그렇고 그런 연애 과정을 거쳐 동거에까지 이르렀다. 하지만 정미는 늘 무언가 화가 나 있는 얼굴이었고 8평 원룸 생활이 불편하다며 툴툴댔다. 아무래도 이러다 저 여자를 잃을 거 같다는 생각을 기영은 자주 하였지만 애써 내색을 하지 않았다. 정미의 불평에 짜증이라도 내는 날이면 그녀는 연기처럼 사라져버릴 것 같다는 생각 때문이었다.

그러던 어느 날, 정미는 화장실에서 한참을 나오지 않았다.

"회사 늦는다"라며 기영이 재촉을 하자 잠시후 두 눈이 벌개진 정미가 무언가를 손에 쥐고 나왔다.

"뭐야? 왜? 하던 기영의 눈에 정미가 쥐고 있던 임신 테스터가 들어왔다.

"너 혹시.."

그녀는 아무 말도 않고 "오늘 하루 쉴래"라고 했다.

"그래, 회사엔 내가 연락할게"라고 하자 "아니, 내가 해. 당신이 왜 ?"라며 볼멘 소리를 했다. 그 순간, 정미가 임신을 후회한다는 걸 기영은 인정해야 했다.

그리고 사흘 후 늦은 저녁을 함께 먹는 자리에서 정미는 태연하게 "아이 지웠어"라고 했다.

기영은 정미의 임신 소식에 이제 결혼을 해야겠다는 생각을 했던 터라 당황하였다.

"그런게 어딨어 나랑 상의도 안 하고"라고 하자 " 요즘 애 낳고 키우는 데 얼마 드는지 알아?"라며 그녀가 울먹울먹 하더니 그만 수저를 내려놓고 침대로 가서 흑흑거렸다.

그런 그녀의 모습을 보며 기영은 안쓰럽기도 원망스럽기도 하였다.

이미 죽어버린 그 아이를 놓고 그가 해댄 상상이 얼마며 행복감이 또 얼마였는데...

그 후로 둘의 사이는 점점 벌어졌고 급기야 정미는 어느 날 만찬에 가까운 저녁을 차려놓고 그의 퇴근을 기다렸다 그리고는 식사가 끝나갈 즈음, 오래 준비해온 사람처럼 '이제 끝내자'라고 하였다.

"정미야"

"나, 이렇게는 못 살아. 답답해. 방음도 안 된 원룸, 수시로 막히는 변기"

"우리 이제 적금 타잖아. 그걸로 넓혀가고 결혼하자" 라는 그의 말이 채 끝나기도 전에 "소개 받았어 어제" 라고 그녀가 털어놓았다.

"뭐?"

"자기 사업하는 사람이래. 기영씨, 나 놔주라"라고 그녀가 애원했다.

기영은 서로 처지가 비슷해 그것이 결혼까지 가는 매개가 되려니 했는데 정미는 가난이라는 현실을 늘 버거워해왔음이 드러나는 순간이었다. 기영은 그녀에게 밤새 매달리시피 했고 설득까지 하였지만 정미는 결국 그 다음 날 짐을 싸서 본가로 들어갔다. 이후에도 기영은 여러번 그녀를 찾아 갔지만 그녀는 둘의 이별을 되돌릴 마음이 없어 보였다.

"그래. 잘먹고 잘 살아라!"며 기영이 악에 받친 말을 하고 돌아서는데 뒤에서 정미가 그의 허리를 안아왔다.

그가 몸을 돌리려하자 "그냥 있어 잠깐만"이라며 그녀가 울먹였다.

자기에게로 돌아 오려는 제스쳐가 아닌 이별의 마지막 의례임을 알고 기영은 먹먹해졌다.

그렇게 떠나간 조정미.

그 후 그 사업가와 결혼했다는 이야기를 전해 들은 날 기영은 소주 다섯병을 안주도 없이 퍼붓고는 응급실로 옮겨졌다. 이틀 만에 퇴원한 그가 들어선 정미와 살던 그 작은 방이 주던 쓰라린 고독감을 그는 여태 잊지 못하고 있다.

정미를 새벽 장에서 본 이후로 기영의 일주일은 내내 그녀 생각으로 가득했다. 하지만 그녀는 분명 그를 밀어내는 태도를 보였다. 아마도 자격지심에 그랬으리라는 생각에 이르자 '이제 와서 뭘'하며 그도 체념하려 하였지만 그게 되지를 않았다.

그 다음 주 분리배출 날은 전날 밤부터 비가 내리더니 새벽까지도 이어졌다. 기영은 혹시나 정미가 또 와 있을까 기대를 하고 나갔고 정미는 지난주처럼 그 자리에서 야채를 팔고 있었다. 분리배출을 마친 기영이 집으로 들어가지 못하고 뭉그적거리는데 그 모습을 정미가 보았다. 이렇게 된 바엔 차라도 한 잔 하는 게 오히려 더 자연스럽다는 생각이 들어 기영은 정미에게로 다가갔다.

"집에 올라가서 차 한 잔 할래? 아니, 하자"라고 그가 용기를 내자 정미는 "그럴 시간 없어"라며 매정하게 거

절했다. 그 말에 기영은 맥없이 돌아섰지만 10분 후, 직접 내린 원두 커피 두 잔을 들고 다시 나와 한 잔을 정미에게 내밀었다.

"남편 사업이 잘 잘 안됐어 그리고는..."이라며 그녀가 말을 맺지 못했다.

"아이는?"

"딸 하나 있어. 죽은 아빠를 무척이나 그리워 해"라는 말에 기영은 깜짝 놀랐다.

"죽다니....그럼..."

"응. 자살"이라고 그녀는 짤막하게 대답하고는 남은 커피를 다 마시고는 커피잔을 기영에게 돌려주었다.

"옛날 그 맛이야"라며 희미하게 웃는 그녀의 미소를 보며 기영은 둘이 아침이면 이렇게 커피를 내려 같이 마시던 기억이 떠올랐다.

"춥다 비 와서. 들어가 얼른"이라며 그녀가 난로에 손을 쬔다.

"넌 몇시까지 여기 있니?"라는 그의 물음에 정미는 대답을 하지 않았다.

"다음 주에 또 보자"라며 그가 비워진 커피잔을 양손에 쥐고 안으로 들어갔다.

정미가 기영을 떠난 후 그는 한동안 폐인으로 살았다. 그러다 다니던 회사가 부도가 났고 오갈 데 없어진 자신을 학교 선배 s가 거두어주었고 회사는 조금씩 커나갔다. 그리고 그는 팀장까지 올라갔고 그렇게 대출을 받아 외곽에 작은 아파트를 분양받았다. 언젠가 tv드라마로 보았던 재벌 여자와 가난한 대학생의 뒤바뀐 운명까지는 아니어도 기영은 이제 최소한의 의식주 걱정은 하지 않고 살 수 있었다. 그에 반해 정미는...

정희가 내 집에 들어온다면, 이라는 상상은 내내 꼬리를 물고 그를 따라다녔다.

다시 보자고 하면 만나줄까, 하다가 그녀에게 딸이 하나 있다는 사실에서 막히곤 하였다. 그 아이가 아빠 아닌 다른 남자에게 정을 줄까 싶어 그는 망설였다.

기영은 정미를 잃고 난 뒤 한번도 여자를 가까이 한

적이 없었고 그래서 어쩌면 돈을 모을 수 있었는지도 모른다. 여자로 인해 다시는 아파하지 않고 여자에게 기만당하지 않겠다고 그는 굳게 다짐을 하였다. 그것은 자기 안에 , 인생의 여자는 딱 하나 조정미였음을 인정하는 꼴이었지만...

여러 날을 고민한 끝에 그는 다시 만난 정미에게 청혼하기로 마음을 먹었다. 지금 그녀의 처지가 어떻든 자신의 마음이 변하지 않았으니 충분히 가능하리라는 생각이 들었다. 그리고는 분리배출일이 되기만을 기다렸다.

정미와 자기 애를 하나만 낳고 지금 정미의 딸과 똑같이 키우리라 마음을 먹었다.

그러나 그 주 금요일 정미의 모습은 보이지 않았다. 장은 여느 때처럼 섰지만 그녀의 자리엔 생선 코너가 들어섰다. 가버린 걸까...

"저 혹시 여기서 야채 팔던 젊은 아가씨..아니, 젊은 여자는..."이라고 묻자 생선장사가 물끄러미 보더니 대답했다.

"우린 서로 몰라요. 이렇게 일주일에 한번씩 와서 같이 장사를 할 뿐이지"라며 조금은 귀찮다는 듯이 대답했다. 그 말에 기영은 이제 어디 가서 정미를 찾나 하는 막막함과 그녀를 다시 잃었다는 깊은 상실감에 빠져버렸다.

그래도 혹시나 하는 마음에 한동안은 새벽장이 서면 정미를 찾아 보았지만 그녀는 거기에 없었다.

그날도 그녀가 오지 않은 걸 확인하고 허탈해서 돌아서는데 뒤에서 '기영씨'하고 부르는 소리가 들렸다. 설마,하며 그가 돌아보자, 말끔히 차려입은 장미가 웃으며 서 있었다.

"집 구경 좀 해도 돼?"라는 그녀의 말에 기영의 얼굴이 환해졌다.

"나 배고프다. 밥 좀 주라"며 그녀가 살짝 울상을 지어 보였다.

"밥 많아. 너 좋아하는 간장게장도 사다 놨는데"라며 기영이 그녀에게로 다가갔다.

그렇게 둘은 엘리베이터를 타고 10층에서 내렸다.

"니 생일"이라며 기영이 도어락 비번을 누르며 말했다. 그러자 뒤에서 정미가 물었다.

"우리 애도 잘 키워줄 수 있어?"

"그럼..."하며 기영이 따스하게 그녀를 바라보았다.

그리고는 집에 들어서자마자 그는 그녀를 안았다.

이후 정미는 다시는 그의 앞에 모습을 드러내지 않았다.

그녀가 알려준 휴대폰 번호는 결번으로 나왔다.

두 번째 약속

"이제 널 위해 살게"

"치 거짓말..."

이라고 하면서 서로를 안았던 신혼 여행이 끝나고 집에 들어서는 순간, 민석은 손하나 까딱하지 않았다.

"배 고프니 밥 차려라" 부터 시작해서 "침대는 왜 큰 걸 사서.. 혼자 잔 지 한참 됐으니 작은 걸로 두개 놔라"등 그의 위압적인 잔소리며 요구는 끊이질 않았다.

이러려고 내가 재혼이란 걸 했나, 은혜는 후회가 밀려왔지만 자기가 좋아 한 결혼이라 딱히 다른 누구에게 책임을 전가할 수도 불평을 늘어놓을 수도 없었다.

민석은 초혼에 실패하고 10년 넘게 회사 근처 오피스텔에서 혼자 지내왔다. 그의 말에 의하면 두어 번 선도 보고 연애도 해봤지만 결국 여자들이 원하는 건 경제적 의지처를 구한다는 것이어서 매번 결혼에 이르지 못하고 심지어는 악다구니를 써가며 헤어졌다고 했다.

그러다 은혜를 만난 것이다. 은혜는 전 남편이 남긴 유산으로 풍족하게 살고 있어 굳이 돈을 목적으로 재혼할 이유도 없었고 딱히 남자가 그립지도 않았다. 해서 처음 민석이 접근해 왔을 때도 시큰둥하게 반응했고 그것이 민석을 더더욱 몸달게 하였다. 민석은 매사에 그녀를 챙겼고 심지어 그녀가 맹장으로 일주일간 입원했을땐 휴가를 내고 내내 그녀 곁을 지키기까지 하였다.

둘의 결혼을 적극적으로 말린 건 친구 미영이었다.

"그냥 연애만 해. 뭐할러 결혼을...그사람, 딴 데 마음 있는지 누가 알어?"라며 미영은 자신의 전남편을 떠올리며 또다시 이를 갈았다. 결혼하자마자 회사를 그만두고는 미영을 외벌이시킨 것도 모자라 '일 좀 하라'고 하면 '다 귀찮아'하면서 손사래를 쳤던 그 남편 때문에 미영은 안해 본 일 없이 다 해야 했다. 다니던 회사에서는 나이가 들자 퇴사 압력을 넣었고 그렇게 회사를 나온 미영은 학원 강사, 까페 아르바이트, 식당 서빙 등 할 수 있는 건 죄다 했다. 그렇게 돈을 벌어다 주면 전 남편은 외도를 하고 친구와 동업하다 망하고를 반복했다. 그렇게 10년 결혼생활에 지친 미영이 먼저 이혼 얘기를 꺼냈고 남자는 '그 좋은 먹잇감'을 놓지 않으려 했지만 결국 미영이 손목을 긋자 백기를 들었다.

이렇게 남자에게 크게 당한 미영으로서는 '돈 많은 과부'로 살면서 간간이 데이트나 하면서 사는 게 훨씬 낫다는 판단이 선 것이다.

"돈은 남자도 있어"라고 은혜가 말하자 미영은 "그건 모른다. 너만큼 있는 건 아니잖아"라며 미영은 한사코 말렸지만 결국 제주도 여행에서 돌아오던 날 민석이 내민 청혼 반지를 약지에 끼고 말았다. 이어진 혼인신고,

신혼여행이 끝나자마자 돌변한 민석의 가부장적 남성우월주의적 행태에 은혜는 아차 뒤통수를 맞은 느낌이었지만 그 정도로 이혼을 할 만큼 강단이 있는 건 아니어서 어떻게든 민석의 요구며 비위를 맞춰야겠다 생각하고 그만큼 노력을 하였다. 그러면 민석은 금방 또 풀어져 은혜를 포근히 안아주었다. 처음엔 그런 그의 품이 아늑했지만 언제부턴가 은혜는 자신이 마치 '애완견'이 된듯한 기분이 들었다. 주인의 말을 잘 들어야만 이쁨받는. 그래도 어렵게 결심한 재혼인데 남보란듯이

잘 살고 싶은 게 은혜의 속내였다.

"애를 데려 와야겠어"

어느 날 저녁을 먹던 민석의 입에서 툭 튀어나온 이 말에 은혜는 사레가 들리고 말았다.

물을 건네주며 "이젠 당신 애기도 하잖아"라는 말이 여간 어거지로 들리지 않았지만 자초지종은 들어야 할 거 같아서 " 왜...애 엄마한테 무슨 일 있어?"라고 애써 표정 관리를 하며 그녀가 물었다.

"그쪽도 재혼하나 봐. 근데 남자가....애는 두고 오라고 한 대나 봐. 주제에 총각한테 간다고 하드라구"하면서 그가 못마땅한 표정을 지었다. 저런 얼굴이 된다는 자체가 아직도 전처에게 미련이 있다는 증거라고 생각돼 은혜는 기분이 상했지만 그 또한 내색하지 않고 "애가 불편해하지 않을까?"라고 조심스레 말했다.

"그래봐야 아직 사춘기야. 부모 손길이 필요하지 "하고 그는 더 이상 말을 하지 않았다.

그리고는 그 다음 날 전처와 살던 아들 혁을 무작정 데리고 들어섰다. 은혜가 동의한 것도 아닌데 그는 그렇게 일을 독단적으로 처리했다.

그때부터 은혜는 집에 왕 둘을 모시고 사는 꼴이 되었다. 혁은 외양부터 민석을 꼭 빼닮았고 식성, 말하는 투, 어림에도 징글징글할 만큼 가부장적이고 이기적이었다.

"아줌마, 이거 설거지 한 거 맞아요?"라며 아침 밥상에서 자신의 밥공기를 들어 보일 때 은혜는 이 결혼이 더 이상 불가능하다는걸 인정해야 했다.

그리고는 민석에게 이혼을 요구했지만 민석은 두번 이혼은 절대 안 한다며 그녀의 말을 묵살하였다.

"거봐. 하지 말라고 했잖아"라며 전화 너머 미영은 이 사태를 예견했다는 듯이 끌끌 혀를 찼다

"나, 니집에 며칠 가 있어도 돼?"라고 은혜가 말하자 "너무 오래는 안되고"라며 딱 선을 그었다.

그렇게 미영의 아파트에서 지낸 지 일주일이 되자 밤늦게 민석이 아파트 앞이라며 전화를 걸어왔다. 초봄이라 밤엔 아직 쌀쌀해서 그녀는 카디건을 걸치고 엘리베이터에 올랐다. 어떻게든 오늘은 이혼 이야기를 마무리 짓겠다 마음먹고.

그렇게 마주한 민석은 "잘 있었어?"라며 예전 연애 시절의 다정함을 보였다. 순간 은혜의 마음이 흔들렸지만 그와 계속 갈 수는 없다고 애써 스스로를 단도리하였다...

"헤어져 우리. 나도 언제까지 미영이한테 신세질 수도 없는 거고. 집으로 가고 싶어"

"들어와. 당신 집이잖아. 우리 집"

"아니. 나 혼자 살고 싶어"

그 말에 민석은 만만치 않다는 느낌이 들었는지 담배를 한 대 피우기 시작했다. 그렇게 담배 피우는 걸 보고 있자니 은혜는 잠깐 미안하다는 생각도 들었지만 자신의 완전한 동의도 없이 아들 혁을 데리고 온 것만은 양보할 수가 없었다. 거기에 두 부자에게 당해야 했던 냉대와 무시를 떠올리면 지긋지긋하기만 했다.

"그러면 당신 좋을대로 해"라며 담배를 발로 눌러 끄며 민석이 말을 했다. 그 말에 은혜는 잠시 아득했지만 애써 정신을 부여잡고 "해 이혼"이라며 갈무리하였다.

하지만 약속한 시간에 민석은 법원에 나타나지 않았고 그렇게 둘의 이혼은 유야무야가 됐고 어느 날부턴가 은혜는 다시 두 부자의 시중을 드느라 여념이 없는 자신을 발견했다. 더 이상 절친인 미영에게 하소연하기도 부끄럽고 자존심 상해 그녀는 모든 모욕감과 억울함을 속으로 삭혔다.

"이거 아줌마 꺼"라며 혁이 어느 날 학원에서 돌아오며 샀다는 노점 머리핀을 받아들던 순간 은혜는 살짝 그린 라이트를 예감하기도 하였지만 이어서 " 내 그릇은 두번씩 씻어요"라고 이어진 말엔 화가 치밀었다. 그리고 그날 밤 유난스레 자신의 몸을 탐하는 민석이 마치 섹스만을 목적으로 자신을 유혹했다는 생각도 들었다.

그리고는 한달 후 그녀는 여의사로부터 임신이 맞다는 얘길 들었다. 아이까지 생겼으니 민석과 헤어지는 건 더더욱 힘들게 생겼다는 절망과 이렇게나마 갈등에서 벗어나게 되었다는 안도감이 동시에 은혜를 휘감았다.

은혜의 임신 소식을 들은 민석은 못 믿겠다는 표정을 지었다.

"당신 나이가 있는데"라며 그가 의뭉스런 표정을 지었다.

"그럼 내가 바람이라도 폈다는거야?"라고 은혜가 발끈하자 "그게 아니고 암튼, 잘 됐네"라며 민석은 마지못해 그녀를 안아주었다. 그리고는 그날 저녁 퇴근길에 잔뜩 꽃을 사들고 들어왔다. 그래, 세상에 별 남자 있겠냐 싶어 은혜는 불러오는 배를 바라보며 생애 첫 임신의 설렘을 누리고자 하였다.

"나 동생 싫어. 것도 이복은 더더욱"이라는 혁의 말을 들은 건 은혜가 혁에게 줄 야식을 들고 그의 방으로 향할 때였다. 이미 가진 애를, 이렇게 불러온 배를 어쩌라고 저럴까,하며 은혜는 화가 치밀었다. 그리고는 방문을 열어젖히자 "당신 노크 할 줄 몰라?"라며 민석이 타박을 하였다.

"니가 싫음...니가 싫음 이 애 낳지 마?"라며 은혜가 혁을 나무라자 혁은 빤히 보더니 점퍼를 집어들고 밖으로 나가버렸다.

"그말이 아니잖아. 혁이도 아직 애야. 어린애라고 "하며 민석이 되도 않는 말로 아들 혁을 방어하는 데는 은혜도 더 이상 참을 수가 없어 "이혼해!"라고 내 뱉었다. 그 말에 민석의 두눈이 휘둥그레지더니 "너 진심이야? 애 혼자 키울 수 있어?"라며 으름짱을 놓았다. 순간 그녀는 움찔했다. 초혼도 아닌 재혼에서 낳은 아이를 아빠 없이 키운다는 게 어딘가 심하게 '뒤틀린' 느낌을 주었다.

은혜는 더이상 말을 않고 그날 밤 작은방에서 홀로 잠을 잤다.

그리고는 다음날 일어나서 그녀가 발견한 건 민석이 혁과 자신의 옷가지며 소지품을 캐리어 서너 개에 쓸어 담고 있는 것이었다.

"뭐하는 거야?"

"우리 시간을 갖자"라며 그가 볼멘 소리를 하였다. 밤새 떨어져 자는 동안 은혜가 한 생각은 그래도 어떻게든 이 갈등을 봉합하고 애 낳고 남들처럼 잘 사는 것이었는데 민석은 전혀 다른 생각을 한 것이다.

"이럴 수 있는거야 나한테?"라며 은혜가 그를 저지하자 "그럼 나한테 잘 하든가! 토달지 말고!"라며 그가 소리쳤다.

이래서 재혼이 초혼보다 더 어렵다고 하는 거구나.... 그녀는 그제야 실감했다.

순간, 뱃속에서 아이의 태동이 느껴졌다.

"여보..애가...애가..."라고 하자 짐을 꾸리던 민석의 손이 멈췄다.

"왜...안 좋아?"

"애가 발로 ..."하며 은혜가 민석의 손을 자기 배에 올려놨다.

그렇게 둘이 나란히 아이의 태동을 느끼는 동안 서로의 눈도 마주치고 희미하나마 미소도 교환한 거 같다.

"혁이는 내가 설득시켜볼게"라며 민석이 싸던 짐을 다시 풀기 시작했다.

"나도 혁이한테 잘 할게..."라는 은혜의 눈에 어느새 눈물이 그렁했다.

"딸이라면서요"하며 혁이 사 왔다는 이쁜 아기 신발

을 받아들자 은혜는 가슴 벅찬 무언가가 자신의 온몸을 휘감는 게 느껴졌다.

"이제부터 니 밥그릇은 꼭 두번씩 씻을게"라고 하자 "아줌마가 식모예요? 그냥 해본 말이지"하고 혁은 구시렁대며 자기 방으로 들어갔다. 하지만 문은 닫지 않았다.

"샤워해야지"

"알아서 해요"라며 혁이 불퉁하게 욕실로 들어간 뒤 은혜는 욕실 문을 살그머니 닫아주면서 오늘 저녁은 두 부자가 좋아하는 샤브샤브를 해 먹어야겠다는 생각이 든다. 그리고는 지난번 먹다 남은 고기를 꺼내기 위해 냉장고 문을 여는데 살짝 정전기가 일었다. 그 따갑고 매서운 느낌에 그녀는 반사적으로 손잡이에서 손을 뗐지만 잠시 후 다시 조심스레 손잡이를 잡았다. 이번엔 정전기가 일지 않았다.

그가 내민 손

그의 부고를 접한 건 국립중앙도서관에 e북 납본을 막 마친 시점이었다. 그전에 밤새 전자책 제작을 하느라 잠을 못 자 늦은 잠이라도 자볼까 하는데 전화벨이 울린 것이다. 이따금 함께 술자리를 갖던 작가 a의 전화였다. 현승이 갔다는 얘기였다.

"어쩌다..."

"원래 자주 그런 말을 했어요 .이제는 그만 떠나고 싶다고"

"그럼..."

a는 자세히는 얘기하지 않았지만 현승이 자살했음을 암시했다.

이 조문을 가야하나 마나를 놓고 지수는 한참 고민을 하였다.

현승과는 어느 소도시에서 열린 출판인 모임에서 처음 만났다. 그는 그 지역에서는 꽤 이름이 알려진 셀럽이었지만 중앙문단에서는 무명이나 다름없었다. 그의 책을 두어 권 낸 b출판사 대표를 따라 그 모임에 나온것이었다. 첫눈에도 깐깐하고 고집이 셀 거 같은 강한 인상에 지수는 좀 거리를 두기로 하였다. 그런 사람들한테 여러번 데인 적이 있기 땨문이다. 연애든 일에서든...

그런데 그렇게 만난 지 한 달이 지날 무렵, 지수에게 현승이 전화를 해왔다.

"저, 기억하실지.."

지수는 단박에 그의 냉냉한 목소리를 기억해냈지만 잘 모르겠다는 투로 "누구신지.."하고 시치미를 뗐다.

"그때...거기 북 까페에서 출판인 모임 할때"

그제야 지수는 기억이 난다는 투로 대답을 하였다.

"제가 쓴 소설이 있는데요"라는 말에 지수는 어떻게든 그를 피하고 싶었다.

"죄송해요...안그래도 그때 뵙고 작가님 책을 좀 읽었는데 저희랑은 칼라나 방향이"

"메일 보셔요. 보내 놨습니다"하고 그는 일방적으로 전화를 끊었다.

이래서 강하고 찬 인상의 사람을 내가 싫어하는데... 하며 지수는 마지못해 메일을 열었다. 그리고는 현승이 보낸 원고지 환산 1000매쯤 되는 장편소설을 보게 되었다.

요즘 누가 이런 긴 걸 읽는다고. 게다가 역사소설이라니 . 하며 그녀는 그렇게 현승의 〈그 섬에서〉를 제쳐두고 까맣게 잊어버렸다.

그런데 그로부터 보름 후, 이번엔 메일로 현승이 다시 연락을 해왔다. 출판 가부를 알려달라고.

그 말에 아직 읽지도 않았다는 답은 차마 할 수가 없어 그날부터 연 사흘을 꼬박 〈그 섬에서〉를 읽고 그녀는 출판이 어려울 거 같다는 답을 메일로 보냈다.

그러나 현승은 기어코 지수의 출판사에서 내겠다는 의도였는지 아니면 다른 데서는 죄다 거절을 당했는지 끈질기게 그녀를 설득했고 결국 지수는 〈그 섬에서〉의 출간계약을 하게 되었다.

현승은 돈이 급하니 선인세를 많이 주든 아니면 매절계약을 하자고 하였다. 그러면서 제법 큰 돈을 요구했고 지수는 이런 식으로 '팔리지도 않을 '이 작품을 내야 하나 회의가 들었지만 얼마 전 출간한 힐링 에세이가 효자 노릇을 해주고 있고 ,어디든 팔리는 한 두권이 나머지를 먹여 살리는 상황이어서 좀 묻힌다 싶어도 현승의 책을 내기로 하였다. 그렇게 그에게 목돈 선인세를 주고 나니 왠지 눈 깜짝할 사이 '털린 느낌'이 들었지만 그래도 혹시 이 책이 선방할지 모른다는 작은 기대도 걸어봤다.

책 출간을 빌미로 현승은 일정 부분 고치고 싶다는 의향을 알려왔고 지수는 작가가 알아서 하라고 했지만 현승은 만나서 이야기하자며 지수에게 본격적으로 접근하였다.

지수는 내키지 않는 그와의 만남을 어떻게든 피하려 했으나 그게 되질 않았고 해서 어느 날 광화문 사거리 작은 까페에서 현승과 마주 앉았다.

"그래서 수정은 다 돼 가시나요"

"오늘 영화 한 편 봅시다"라며 그가 엉뚱한 얘기를 꺼냈다.

그렇게 그와 뜻하지 않게 연애상황에 돌입했고 지수는 '이게 맞는 건가'하면서도 그와 1박 여행을 가게 되었고 펜션에서 자연스레 그의 품에 안겼다. 그리고는 새벽에 나와 바라본 달이 파리하게 빛나던 기억이 아직도 남아있다.

예견대로 〈그 섬에서〉는 팔리질 않았고 그 피해는 고스란히 지수가 떠 안아야 했다. 하지만 이미 그 즈음엔 작가가 아닌 남자로서 현승과 연결돼 있어 내놓고 자기 속내를 드러낼 수도 없었다. 현승은 '이번엔 대박 조짐이 보인다'며 이른바 '운동권 이론서'를 쓰고 있노라 했다.

지수는 차라리 글이 매개가 아닌 평범한 연애가 낫다 싶어 그리 말하면 현승은 발끈해서 '너 나를 뭘로 보는 거야'라며 화를 내서 그 이야기도 계속할 수가 없었다.

그리고는 그가 두 번째 책 〈새벽〉을 내밀었을 때 또 적지 않은 돈을 선인세로 지급해야 했다.

그후 얼마 지나지 않아 그의 여자 문제를 비롯한 이

런저런 소문이 들려왔고 지수는 이제 이 관계를 종결지어야 한다는 생각이 들었다. 그에게 건너간 고료가 너무나 아까웠고 자신을 열렬히 사랑하지도 않으면서 보험들 듯 붙잡고 계속 돈을 가져가는 그에게 진저리가 났다.

그리고는 마침내 세 번째 작품 이야기를 그가 꺼냈을 때 그녀는 이별을 고했다. 물론 그것이 고스란히 빠르게 받아들여진 건 아니었지만 어쨌든 그의 전화며 메일을 차단함으로서 그녀는 자신의 의사를 분명히 밝혔다.

그것도 연애였다고 지수는 꽤 오래 힘들어했다. 그리고는 그의 부고를 들은 것이다. 자연사도 아닌 자살이라는 이야기를...

그의 영정에 국화를 놓고 조문실을 나오다 자신에게 부고를 알린 작가 a와 마주쳤다.

" 그 친구 빚이 많았어요. 나한테서도 가져갔고"

돈이라면 ,탈탈 털린 지수만 하랴 싶었지만 이미 고인이 되었고 한때나마 좋아한 남자를 험담하기 싫어 지수는 아무 말도 하지 않았다.

"아이는 어떻게 살아갈지.."라는 a의 말에 지수는 들고 있던 커피잔을 하마터면 놓아버릴 뻔했다.

"애요? 애가 있나요? "

"몰랐어요? 지수씨랑 헤어지고...이 얘기 이 바닥은 다 압니다. 두 분이 사귄 거...지수씨랑 헤어지고 잠깐 동거를 했나봐요. 그 사이에서..."

더 이상 현승의 이야기를 듣다가는 시쳇말로 '돌아버릴 거 같다'는 느낌에 지수는 서둘러 그 자리를 떴다.

여름이 묻어나는 공기는 후덥지근했다. 차라리 소나기라도 내려 줬음 하는 바람이 오가는 행인들의 모습에서 감지되었다.

자기와 헤어진 뒤 아이를 낳고 산 여자까지 있었다... 어쩌면, 이미 그 여자가 있으면서도 자신에게 접근해 돈을 가져갔을지 모른다는 혼란 속에 그녀는 광화문을 지나 종로 5가 가까이 까지 걸어왔다. 그러다 오랜만에 대학로에서 연극이나 한편 보고 들어가자는 마음에 지수는 발길을 혜화동으로 옮겼다.

그렇게 소극장 c를 지나치다 그녀는 문득 발길을 멈췄다. 현승의 소설 〈그 섬에서〉가 연극으로 각색돼 공

연되고 있었던 것이다. 그럴 경우 최소한 출판사에 고지 정도는 하기로 돼 있었음에도 현승은 그마저 지키지 않은 것이다. 그녀는 연극 보기를 포기하고 그길로 택시를 잡아타고 집으로 돌아왔다.

1인 출판 만으로는 아무래도 손이 부족하고 적극적인 마케팅을 하기가 어려워 지수는 고심 끝에 외곽에 작은 사무실을 하나 세를 얻었고 잡무를 처리할 직원을 하나 두었다. 그렇게 한동안 정신없이 지내는데 어느날 d 영화사에서 전화가 걸려왔다. 현승의 두번째 책 〈새벽〉을 영화화 하고 싶다는 얘기였다. 지금 누가 운동권 얘기에 관심을 가질까 , 그래서 전혀 내고 싶지 않던 이야기였는데 그걸 또 영화로 만들겠다는 이갸 있으니 참으로 아이러니했다.

그렇게 들어온 돈을 어떻게 할까 고민하던 지수는 오랜만에 작가a에게 연락을 해서 만나자고 하였다.

그가 가져간 돈이 있으니 이 정도 금액은 지수가 가져도 상관 없었지만 왠지 고인에게 미안하다는 생각이 들었다. 현승의 목숨값 같았다.

"정 그렇다면 그 여자 분..."하며 a가 조심스레 그의 동거녀를 언급했다.

"그분도 넉넉지 않겠네요. 대신 좀"하며 지수가 그 돈을 a에게 내밀자 그는 잠시 주저하더니 "제가 전해줄게요"라며 그 돈을 받았다.

"고맙습니다"라고 머리를 조아리는 여자는 지수보다 한참 어려 보이는, 전혀 애를 낳은 여자라고는 보이지 않아 보이는 여리 보이는 여자였다.

"현승씨, 많이 사랑했나 봐요?"라고 지수가 말하자

"아직도 잘 모르겠어요"

"네?"

자신의 감정도 잘 모르고 아이를 낳았다는 것이 여러 가지를 상상하게 만들었다. 혹시나 현승이 자신에게 했던 것처럼 상대의 감정은 염두에 두지 않고 자기만의 욕구로 밀어부친 관계가 아닐까 하는 생각이 들었다.

"아기 사진 한번 보여줄 수 있나요?"라는 지수의 말에 상대방은 자기 폰에서 아이 사진을 내밀었다.

"지수예요. 황지수"라며 사진 속 아이의 이름을 말했을 때 지수는 정신이 아득해졌다.

그녀에게 전화를 했을 때 그냥 "출판삽니다"라고만 했기에 그녀가 지수의 이름을 알지는 못했으리라...

그러고 보니 지수라는 아이의 눈매가 어딘가 자신과 닮아 보이기도 했다.

"이쁘네요.."하고는 폰을 다시 건네주고 그녀는 황급히 까페를 나섰다.

그가 보고싶었다.

자신에게 막대한 금전적 손실을 입히고 매사를 자기 위주로 처리해 상처를 주었던 ,이제는 지상에 없는 현승이 너무나 그리워 지수는 울면서 걸었다. 성인 여자가 눈물을 흘려가며 대낮에 도심을 걸어가는 것에 평소엔 무심하던 대중도 이따금 시선을 주곤 하였다. 그렇게 다시 광화문 사거리 횡단보도 앞에 선 지수는 언젠가 그 자리에 현승과 나란히 섰던 기억이 났다.

"차 한대 사는게 내 꿈이야. 그럼 이런 뚜벅이 생활할 필요가 없잖아"라며 투덜대던.

그때가 헤어지자는 말을 하기 직전이라 지수는 차 한대쯤 뽑아줄 여력이 있음에도 침묵했던 생각이 났다.

현승씨...

그 순간 보행 신호로 바뀌고 땀내를 풍기며 사람들이 그녀를 지나쳐 빠르게 길을 건넜다...

하지만 그녀는 한 걸음도 움직일 수가 없었고 마치 뒤에서 죽은 현승의 혼이 자신을 붙잡고 있는 것만 같았다.

현승의 자살로 인해 그동안 묻혀있던 〈그섬에서〉와 〈새벽〉은 뒤늦게 회자되었고 빠르게 팔려나갔다.

현승에게 준 선인세가 있었지만 그것과 상관없이 지수는 인세를 매달 꼬박꼬박 '그의 여자'에게 입금했다.

붐비는 점심시간 혼자 콩국수를 먹는 한 여자의 훌쩍거림을 식당 안 누구도 이해하거나 알지 못했다..

현승이 제일 좋아하는 음식이라며 먹던 진한 콩국수였다.

식당을 나온 그녀는 대형서점 매대를 돌며 현승의 유작 두 권의 진열 현황을 살펴보기로 하고 택시를 잡아탔다.

유턴

"뭐가 그렇게 충격적이었어?"

경원은 의현에게 조심스레 물었다

"그냥 뭐..그럴일이 있었어. 알려고 하지 마"

경원은 그 순간 자신들의 관계가 도대체 뭘까 하는 의문이 들었다.

혹시 이미 끝난 사인 아닐까 하는 생각도 들었다.

온라인 '돌싱클럽'에서 서로 알게 돼 동변상련이라고 너무 빠르게 가까워진 건 아니었을까?

그때 지인들 모두 온라인 모임은 리스크가 많으니 되도록이면 친구 정도로만 지내라고 했지만 서로 외로운 처지다 보니 온라인이 오프라인 만남이 되고 두어 번 식사 뒤 술을 같이 마시고는 동침을 하게 되었고 그렇게 둘의 소문은 빠르게 번져나가 결국엔 어엿한 연인사이가 되었다.

하지만 의현은 한마디로 '세상 모두에겐 친절하지만 자기 여자에게만은 무심한'그런 타입의 남자였다. 일주일에 한 번씩 모인다는 등산 모임에 지적 장애인이 하나 있는데 힘들게 산다며 그의 등산 장비를 바꿔준다며 경원에게서 돈을 가져갔고 고향 친구가 부친상을 당했다며 최소 50은 내야 한다며 또 돈을 가져갔다. 의현도 적게나마 벌이를 하는데도 경원을 만난 뒤부터는 그런 식으로 자신의 돈은 쓰지 않으려 하면서 경원의 지갑을 계속 열게 하였다.

"나도 힘들어"라고 경원이 말하면

"넌 집이 있잖아"라며 불퉁하게 되받곤 하였다..

그 집이라는게 ,외도를 밥 먹듯 하는 전남편과 갈라선 뒤, 대학동창 미경이 pd로 있는 음악 방송 작가를 하면서 겨우겨우 외곽에 분양 받은 소형 아파트를 말했다. 그야말로 경원의 '피 땀 눈물이 배인' 집을 의현은 꺼떡하면 그런 식으로 말하였다.

오프라인에서 만나 서로 두번째 식사를 할 때 경원은 자신의 이혼 사유를 다 이야기하였지만 의현은 그녀의 이야기를 듣기만 할 뿐 자신의 이야기를 하지 않아 헤어지면서 경원은 '이게 맞는 건가'하는 생각까지 했다.

매사가 그런 식이었다. 하루 종일 같이 걷고 맥주를 나눠마신 뒤 헤어져도 그는 단 한번도 '잘 들어갔냐'는 따위의 안부 인사를 하지 않았고 가끔 경원이 그런 무심함에 서운해하면 '니가 나이가 몇인데'라며 되레 타박을 하였다. 그거야 여자를 살뜰히 대하지 않는 성격이라 그럴 수 있다고 넘어가려 해도 가끔 언급되는 고향 '초등 여동창'의 이야기를 할 때는 일찍 사별하고 구멍가게 하면서 힘들게 산다고 자신이 조금이라도 도와줘야 한다며 애면글면하였다.

"사랑과 우정, 둘 중에 하나를 택해"라고 언젠가 경원이 화를 내자,

"너 백치냐"하며 즉답을 피하기도 했다.

경원도 오죽하면 그런 단세포적인 질문을 했을까 싶어 헤어지고 돌아오는 길에 잠깐 후회를 하였지만 언젠가 이런 그의 부분이 빌미가 돼서 둘 사이에 금이 갈 수도 있으리라는 생각이 들었다.

그러나 그보다 고질적인 건 경원에게는 전혀 이유를 말하지 않는 '심적 충격으로 인한 쓰러짐'이었다. 뭔가 충격을 받았다며 며칠 동안 소식을 끊어버리는 일도 자주 있었다. 바로 전날 같이 잠을 자놓고 그 다음날 그녀의 전화를 피한다든가 안 받는 따위의 행동을 아무렇지 않게 하는 바람에 그녀는 여러 번 상처를 받고 불안에 떨어야 했다.

만나서 무슨 충격이냐고 물으면 '넌 알 것 없어'가 그의 대답이어서 경원은 그의 삶에서 자신은 철저히 배제돼있거나 혹시 그에게 '다른 여자'가 있을지도 모른다는 상상에 빠져야 했다.

과연 우린 서로를 얼마나 알면서 서로를 연인이라 부르고 돈을 나눠 쓰고 아프다면 걱정을 하는 걸까,하는 생각에 이르자 둘의 관계는 ' 완전한 타인'이라는 결론밖에 나오지 않았다. 경원은 의현을 배려해 조금이라도 불안이나 의혹에 시달리지 않도록 최선을 다해 매사에 투명하려 했지만 의현은 그런 부분에서는 한마디로 젬병이었다. 처음엔 성격이 저러려니 했지만 그런 것들이

누적되면서 둘의 관계 자체에 회의가 들기 시작했다.

하지만 경원이 정색을 하고 이별을 말하면 의현은 '넌 서로 갈등할 수도 있는걸 꼭 그렇게 극단적으로 몰고 간다'라며 핀잔을 주었고 이별에 동의하지 않았다. 그러면 좀 달라지려나 했지만 그녀를 대하는 냉랭하고 무심한 태도엔 변화가 있지 않았고 그녀는 지칠대로 지쳐버렸다.

나이 40을 바라보면서 뭐 그리 충격을 받고 뭐 그리 몸져눕고 뭐가 그리 안쓰럽다는 건지...

언젠가 연휴를 앞두고 녹음을 몰아서 할 때였다. 어두운 얼굴의 경원을 보고 pd 미경이 조심스레 물은 적이 있다. 무슨 일이 있냐고. 해서 그때 의현의 얘기를 털어놓자 '널 좋아는 하니?'라고 반응했던 게 떠올랐고 그게 아니었어도 이제는 '외사랑' 같은 이 허망한 관계를 더 이상 유지할 필요가 없다는 결론에 도달해 조용히 끈을 놓아야겠다 마음먹기도 하였다.

연인사이에 조금이라도 균열이 가면 상대가 금방 알아차리기 마련인데도 의현은 워낙 그녀에게 무심한지라 낚시비를 보내라고 하기까지 하였다.

경원은 마지막이라 생각하며 돈 50을 보내자 금방 전화가 걸려왔다. "야 50으로는 안돼. 좀 더 부쳐"라고 할 때는 어이가 없어 전화를 그냥 끊어버렸지만 결국 30을 추가로 보냈다.

혼자 낚시를 간다는 건지 동행이 있다는 건지, 왜 같이 가자는 얘기를 안하는 건지,그 어떤 설명이나 양해도 구하지 않고 그는 그런 식으로 훌쩍 길을 떠나곤 했다. 한번은 이런 일로 경원이 불만을 토로하자 "내가 뭐 여자라도 끼고 다녀 왔을라구?"하면서 버럭 화를 내고는 그쪽에서 헤어지자고 한 적도 있다. 하지만 그 다음 날 새벽 메시지를 보내와 그녀에게 제발 '턱도 없는 의심 따위는 하지 말라'고 했고 그녀는 또다시 그를 받아들였다.

하지만 이후로도 "우리 여행 한번 가자. 원고 몰아서 쓰면 나 시간 되니까" 라고 경원이 말하면 "나 회사는? 일 안 해?"라며 불퉁한 대답이 돌아오곤 하였다. 그래서 둘이 사귄 시간이 꽤 됐는데도 여행이라면 손에 꼽을 지경이 되었다.

수시로 얼굴이 어두워지는 경원에게 미경이 '돌싱인데 사람 괜찮아'라며 의사 a를 소개시켜 준 적도 있다. 하지만 그와 마주하자 이미 다 고갈돼버린 줄 알았던 의현에 대한 '사랑의 감정'이 스멀스멀 기어올라 황망히 레스토랑을 나와야 했다.

그리고는 퇴근 무렵 의현이 다니는 회사로 차를 몰아가면서 전화를 하였다. 그러자 돌아온 대답이 '나 오늘 야근'이라는 것이었고 '그럼 밥만 먹자'라는 경원의 말에 '넌 허구한 날 먹기만 하냐'며 전화를 끊어버려 가던 길을 멈추기도 하였다.

"우리 좀 만나"

경원은 더 이상은 이 관계가 유효하지도 가능하지도 않다는 마지막 결론에 도달해 그에게 연락을 했다.

지난 번 같이 영화를 보고 난 뒤 돌아오는 차 안에서 다가오는 연휴엔 부모님께 인사가자며 거의 청혼을 하다시피 해놓고는 아무 뒷말이 없어 며칠 속앓이를 해야 했단 경원은 이제는 이 관계에 넌더리가 났고 완전히 끊어내야겠다 생각했다

"무슨 일인데?"

둘이 가끔 가는 이탈리안 레스토랑에 먼저 도착해있는 경원 앞에 와서 앉으며 그가 불쑥 말을 던졌다.

"잘 지냈어?"

"실없긴...본게 언제라고"

"왜, 아무 말이 없어?"

"응?"

하며 그가 경원의 물잔을 집어 물을 마시며 되물었다. 전혀 모르겠다는 낯빛으로.

"부모님께 인사 가자며?"

"내가? 우리 부모님? 왜?"

이렇게 나오는 바에는 당해낼 도리가 없어 경원은 차라리 웃고 말았다.

"아냐 아무 얘기도...이젠 끝내자 우리"라고 경원이 말하자 그는 아무렇지 않게 "너 남자 생겼냐?"라고 하였다.

경원은 이번에도 웃음이 나왔다.

"가져간 내 돈은 꼭 갚아"라며 그녀가 자리에서 일어나자 "어? 정말이야?"라며 그가 뒤늦게 그녀의 팔을 붙잡았지만 경원은 그를 뿌리치고 레스토랑을 나와 발레

파킹돼 있는 자신의 차로 향했다. 그 짧은 순간 그녀의 뇌리엔 그와 함께 한 시간들이 스쳐갔지만 그녀의 이성은 더 이상은 가면 안된다고 그녀를 잡았다.

그렇게 집으로 차를 몰면서도 혹시나 그의 전화가 걸려오지 않을까 내심 기대했지만 의현은 전화하지 않았고 그날이 다 가도록 어떤 메시지도 보내지 않았다.

"헤어졌다구?"

pd미경이 못 믿겠다는 투로 경원의 안색을 살폈다.

"응. 이젠 다 끝났어"

"그 남자가 동의했어?"

그 말에 경원은 건성으로 고개를 끄덕였다. 헤어지자고 한 지 며칠이 지나도록 의현에게서 연락이 없는 걸 보면 이번엔 진짜 '끝났다'는 느낌이 들었다. 그러자 마음이 헛헛해지면서 쓸쓸함이 몰려왔지만 그렇다고 다시 그에게로 돌아가고 싶은 마음은 전혀 일어나지 않았다. 흔한 '이별 후유증'이라고 생각하며 일에 매달리다 보면 나아질 거라고 생각했다.

사실 하도 여러 번 기대 끝에 실망을 반복해온 터라 새삼스레 마음이 아프고 상처니 뭐니 할 것도 없었다.

그냥 오래 같이 산 사람과 서로 맞지 않아 자연스레 헤어지거나 멀어진 그런 느낌일 뿐이었다...

"나야, 방송국 로비야 . 좀 내려와"라는 의현의 전화를 받은 건 생방이 거의 끝나갈 무렵이었다.

경원이 아무말도 없자 "내려올 때까지 안 간다"라며 그가 못을 박았고 하는 수 없이 경원은 그를 봐야 했다.

"무슨 일? 우리 다 끝난 거 아니었어? 내 돈이라도 돌려주러 온 건 아닐테고"라고 하자 그가 봉투를 슬쩍 그녀에게 내밀었다.

"뭐야 이건?"

"돈 갚으라며"라는 대답이 돌아왔다.

수시로 그녀의 돈을 가져가 놓고 한번도 돌려준 적이 없는 그가 이번엔 좀 다르게 나와 경원은 긴가민가하며 봉투 안을 살펴보았다. 딱 30만원이 들어있었다.

"뭐지 이게? 나한테 가져간 게 30분인가?"라며 그녀가 발끈했다.

"난 분명 갚았다 니 돈"하고 그가 그녀를 빤히 보았다.

"...."

"뭐해? 줘 인제"라며 그가 자신의 손을 내밀었다

"뭐하는 거야 지금?"

"다시 달라고. 난 분명 갚았으니 다시 달라고""

그 말에 경원은 자기도 모르게 웃음이 새어나왔다..

"달라니까"하며 그가 경원의 손에서 봉투를 다시 가져갔다.

"이 짓 하려고 온 거야?"

"너한테 잘할게"라며 그가 품에서 준비해온 반지를 꺼냈다.

그 반지를 보는 순간 그게 영원의 족쇄 같아 경원은 설레설레 고개를 저었지만 그런 경원의 반응 따위는 전혀 아랑곳 않고 의현은 그녀의 왼손 약지에 그 반지를 끼워주었다.

"이번 주말 비워둬. 부모님한테 인사 가자"라는 그의 말을 믿어야 할지를 고민하는데 '다시 회사 들어가 봐야 한다'며 그가 가려 했다.

아....이런 식이면 다시 또 그와 이어지고 만다는 생각에 그녀는 반지를 돌려주려 따라갔지만 이미 의현의 차는 멀어지고 있었다.

경원은 순간 온몸의 힘이 다 빠져나가는 느낌이 들었다. 그리고는 물끄러미 자신의 왼손 약지에 끼워진 그 반지를 쳐다 보았다. 별다른 장식이 없는 심플하면서도 세련된 디자인의 반지였다. 이걸 어쩌나...

주차된 자신의 차로 향하면서 경원은 그 반지를 받아서는 안 된다는 마음이 확고해졌다. 지금 가자. 회사로 간다고 했으니 거기 가서 돌려주겠다는 마음에 차 문을 열고 시동을 거는데 앞 유리에 빗방울이 떨어지기 시작했다. 하늘은 맑은데 비가 오니 안 그래도 심란한 그녀의 마음은 깊은 우울감과 난데없는 환희 사이를 오갔다. 그렇게 널뛰는 감정을 안고 그의 회사가 있는 마포에 진입했을 땐 제법 거세게 비가 퍼부었다.

이런날 이별하면 그 기억이 오래 갈 거 같다는 생각에 그녀는 이별을 좀 미루기로 하고는 차를 돌렸다. 그렇게 한참을 달려 자신의 아파트 단지가 눈에 들어올 즈음엔 언제 그랬냐는 듯이 비는 그쳤고 공기는 차고

맑았다.

내일...아니, 이번 주말엔 만나서 꼭 이별하리라 마음 먹고 그녀는 자신을 11층으로 데려다 줄 엘리베이터를 기다렸다...

이번주말...그러다, 그가 그때 자기 부모님을 뵈러 가자고 한 말이 떠올랐다.

예전에도 그런 말을 해놓고 어겼으므로 이번에도 다 허언이라 생각하면서 그녀는 엘리베이터에 올랐다. 헤어져야 한다. 그래, 이번 주말엔 꼭 헤어지자...

"부모님한테 인사 가자고 하지 않았어?"

기어코 그녀 쪽에서 먼저 그 얘기를 꺼내자 의현은 주말이라 늦잠 자는 중이라며 짜증내면서 전화를 끊어 버렸다.

혹시나 하는 마음에 백화점에서 전날 고른 정장을 차려입고 화장까지 마친 경원은 어느 정도 예상한 그의 반응에 한참을 물끄러미 화장대 거울 속 자신을 들여다 보았다. 이렇게 끝난거지 뭐...하자 마음이 다 비워지는 느낌이 들었다. 화장도 하고 옷도 차려입었으니 바람이라도 쐬고 오자는 마음으로 그녀는 집을 나섰다. 더이상 볼 일 없는 그의 생각 따위는 바람에 다 날려버리기로 하고...

"어디 간 거야? 너 픽업 갔더니 없네"라며 전화기 너머에서 의현이 볼멘소리를 했다.

경원은 차를 세우고 숨을 골랐다.

"이젠 전화하지마. 다 끝났어. 나 이젠 당신 몰라"라고 하자

"야, 너 또 변덕이냐? 부모님이 음식 다 해놓고 기다리시는데. 어디야 거기?"라며 그가 잔뜩 화를 냈다.

누가 먼저, 어떻게 전화를 끊었는지 몰라도 전화는 끊겼고 경원은 다시 차를 몰고 있었다. 이제 다 끝났다는 홀가분함과 미진하게나마 다시 이어졌다는 안도감 속에 그녀는 혼란스러웠다. 힘들게 첫 결혼을 마무리하고 겨우 찾은 자유와 다시 남자와 삶을 공유한다는 무시할 수 없는 설렘, 그 사이의 방황인지도 몰랐다.

그런 그녀의 눈에 저만치 유턴구역이 들어왔다. 차를 돌려야 하나...

녹음이 짙어진 여름 들녘은 사람의 혼을 쏙 빼놓을 정도로 황홀했다.

나쁘지 않은 사랑

"중고 마켓에 판다"라는 희석의 문자에 지영은 이제 아예 넌더리가 났다.

뭐든 자기가 원하는 것만 사라, 보내라 하다가 어쩌다 지영이 마음을 써서 보내주면 덜컥 화를 내면서 '이런 걸 바로 선의를 가장한 악의'라고 하는 거라며 불퉁한 반응을 보이는 그를 참아온 것도 벌써 3년이다. 이렇게 매사를 자기의 생각대로 끌고 갔고 그것 때문에 지영은 속앓이며 굴욕감을 수도 없이 겪어야 했다. 그러다 보니 잦은 갈등과 헤어짐, 그리고 재회가 반복되면서 지영은 이제 지칠대로 지쳐서 될대로 되라는 식이 되었고 이번에는 정말 끝을 내야겠다는 생각에 이르렀다.

가끔 가보는 그의 원룸은 남자 혼자 생활하는 티가 물씬 풍기는 산만하고 정리되지 않은 것들 투성이고 그와 잘 때 덮었던 이불은 한 10년은 빨지 않은 것 같은 퀘퀘하고 눅눅한 냄새가 배어나 이걸 언제 바꿔 줘야겠다 생각하였고 이번에 그걸 실행하였다. 겨울 끝나고 초여름으로 접어드는 애매한 봄 끝에 적당한 걸로 골라서 보낸 건데, 희석은 자신의 '허락'도 구하지 않고 보냈다고 타박에 구박에 심지어는 중고마켓에 판다는 얘기까지 하는 것이다.

"넌 왜 내가 시키지도 않은 일을 해?"라는 말 속에 묻어나는 지독한 이기주의에 지영은 더 이상 견디기 싫다는 마음이 돼서 조용히 이 끈을 놔야겠다는 생각을 하고 문자 답을 하지 않았다. 그러자 밤에 그로부터 전화가 걸려 왔지만 지영은 받지 않고 무음으로 돌려놨다. 그리고는 잠자리에 들었고 불면을 예상했지만 오랜만에 숙면을 하였다. 처음부터 우린 아니었던 거야,라는 생각에 그녀는 간단히 아침을 먹고 오랜만에 조깅에 나섰다.

온다는 말도 없이 이미 가버린 봄의 흔적이 아련히 남아있는 집앞 산책로를 달리다 보니 여기저기 주인과 함께 아침 운동을 하는 개들이 눈에 뛰었다. 그러자 불쑥 희석이 했던 말이 떠올랐다. "너도 강아지나 고양이 한마리 키워. 그럼 매사를 독단적으로 행동하는 그 버릇이 없어질 거야"라던.

이젠 더 이상 그 말을 들을 필요가 없어졌다는 사실에 그녀는 한없는 자유로움을 느끼며 산책로 양옆으로 펼쳐진 녹음을 즐기면서 달렸다.

"야, 너 왜 내 전화 따고 문자 씹어?"

그날 저녁 지영이 일하다 잠들었을 때 요란하게 전화벨이 울렸다. 그 때문에 그녀는 잠에서 깼고 마지못해 전화를 받았다.

"..."

"너 인제 아예 날 무시하기로 한 거야?"라며 그는 또 다시 볼멘소리를 했다.

"잠깐 봐. 내가 그 앞으로 갈게"하고 지영은 점퍼만 위에 걸치고 차를 몰아 그의 원룸으로 향했다.

"지난 3년, 좋은 시간 만큼 힘들었던 거 같아 우리" 라는 지영의 말에서 심상찮음을 감지했는지 희석의 얼굴이 굳어졌다.

"하고 싶은 말이 뭐야. 또 헤어지자는 거야?"

"우리가 헤어지자고 해서 헤어져지기나 하고?"

"그럼 뭐..애처럼 투정부리지 말고 니가 한 짓을 생각해봐"

그 말에 지영은 어이가 없었다. 남친의 이불 하나 바꿔주고 이런 애먼 소리를 들어야 한다는 게 이젠 우습기까지 하였다.

"니가 입버릇처럼 얘기하듯, 그래 너 많이 배운 여자야. 그러니 대접해달라고 하면서 정작 니가 하는 짓들이 대접받을 짓인지 생각 좀 하면서 살아"

"피곤하다. 우리 서로 시간을 갖자"

"돌려 말하지 말고 제대로 얘기해. 끝내? 또 그 애기?"

"원하면.."하고 그녀는 그의 방에서 나왔다.

강변북로를 달리면서 지영은 어쨌든 이별 통보는 한 셈이라고 여겼고 그러자 씁쓸한 자유가 그녀의 전심을 휘감았다. 오랜만에 쇼팽을 들으며 그녀는 운전을 즐겼다. 그러다 보니 자신에게 운전을 가르쳐준 이가 희석이었음이 떠올랐고 조금은 미안한 마음이 들기도 했지만 이제 더는 안된다는 생각에 그녀는 가속페달을 밟았다.

점심무렵 회사에 나온 지영은 전날 마치지 못한 업무를 마저 보기 시작했다. 그러자 점심을 먹고 들어온 직원 a가 테이크아웃으로 사 온 커피 두 잔 중 하나를 지영에게 내밀었다.

"땡큐..."

"점심 드셨어요?"

"오늘은 별 생각이 없네"하면서 그녀는 빈속에 커피를 마셨다. 그러자 살짝 어지럼증이 밀려오며 속이 울렁거렸다. 왜 이렇게 커피가 안 받지 오늘? 하며 그녀는 잠시 혼란에 빠져 책상 위 캘린더를 쳐다보았다. 희석과 잔 날 이후.....한달째 생리가 없다. 설마 아니겠지, 하면서도 혹시 모른다는 생각에 그녀는 아래층 약국으로 가서 임신테스터를 샀다.

다행히 테스터엔 두 줄이 나타나지 않았고 그녀는 가슴을 쓸어내렸다. 그러고 보니 예전에 빈속에 커피 마시고 메스껍던 기억이 났다. 그때 약사에게 이야기했더니 '위가 나쁘면 그럴 수 있다'고 했던 말이 떠올라 그녀는 다시 길 건너 베이커리로 가서 간단히 요기를 하였다. 그러면서 내내 한 생각이 '이게 만약 임신이었라면'이었다. 아니어서 다행이라는 건지 아쉽다는 건지 그녀 스스로도 갈피를 잡을수가 없었다.

작가 h.아델의 출판 계약이 성사된 것은 그 다음날이었다. 아델은 지영이 문학 에이전시를 열고 겪은 가장 까탈스러운 작가이기도 하였다. 인세는 물론 이런저런 조건이 많아 중간에 그만 포기할까 하는 마음도 여러 번 들었지만 그래도 최근 들어 북미권에서 떠오르는 신예여서 그게 쉽지가 않았다. 해서 최대한의 인내심을 발휘해 타협하고 기다린 끝에 결국 계약이 성사된 것이다.

아델과의 계약성사를 기념하러 직원 a와 저녁을 먹으러 나가는데 엘리베이터 앞에서 지영은 희석과 딱 마주쳤다. a도 희석을 몇번 본 터라 슬그머니 자리를 피해주었고 그렇게 해서 지영과 희석은 1층 까페에 마주 앉게 되었다.

"너 정말 끝낼 생각이야?"

"생각 좀 하자고 했잖아"

"우리 부부 아니었니?"

그 말에 지영은 어이가 없었다. 부부....

둘이 한집에서 같이 자고 아이 낳고 함께 밥을 먹는 상상을 지영은 수도 없이 했고 얼른 합치자는 얘기도 여러 번 했다. 하지만 그때마다 희석은 '내가 처지가 안 되잖아'라며 고개를 저었다. 사업이야 결혼해서 다시 시작해도 되는 걸 그는 기어코 재기한 다음에 결혼을 하겠다고 하였다. 그렇게 둘은 무심히 세월만 보내다 결국 이 지경에 이르렀다.

"우리, 안 될거 같아 생각해봤는데. 사사건건 부딪치잖아. 이번에도"

"그러니까 왜 하지 말란 짓을 자꾸 해? 방이 좁아서 그 이불 놓을 데도 없어. 너도 알잖아"

"딱히 이불 얘기만은 아냐. 매사가 그런 식이야.. 일일이 당신 컨펌을 받아야 하는. 나, 그런 거 답답해."

"너 진심이야?"

그 물음에 지영은 저도 모르게 한숨이 새어 나왔다.

"니가 정 그렇게 힘들면 나도 뭐..."하면서 그도 포기하는 눈치였다.

그러자 순간 지영은 그를 다시 잡아야 한다는 조바심이 살짝 일었지만 그 결과는 언제나 후회로 이어졌기에 이번엔 마음을 야무지게 먹기로 하고 먼저 까페를 나왔다.

오랜만에, 여름을 맞은 도심을 걸어보고 싶다는 생각이 지영을 스쳤다. 그렇게 거리를 걷다 보니 예전에 자신이 희석에게 했던 말이 떠올랐다. "초여름은 마술 같아"라던...

한낮의 열기가 사그라든 선선한 기운이 음울하고 지쳐있는 마음들에 커다란 위안이 돼주었다.

이제 각자의 길을 가면서 서로에게 맞는, 더 이상 참아야 하고 기다릴 필요 없는 그런 상대를 만나는 게 순리라는 생각이 들자 그녀의 발걸음은 한결 가벼워졌다.

이후 한 달간 지영은 또 다른 계약을 의뢰받아 정신 없이 바쁘게 지냈고 희석도 완전히 단념을 했는지 아무 연락이 없었다. 그도 가끔은 나를 생각할까....하는 생각을 전혀 안 한건 아니었지만 힘들게 내린 결정인 만큼, 자기와의 약속인 만큼 이번에는 번복하고 싶지 않았다.

그리고는 b를 소개받았고 그는 유학파답게 모든 것에 오픈돼있고 쿨 했고 최소한 희석처럼 사사건건 자신의 컨펌을 받으라는 말 따위는 하지 않았다. 이 사람과는 결혼에 이를 것 같다는 생각에 그녀는 이렇게 희석이 자기 안에서 완전히 지워진다는 사실을 가끔은 안타까워하기도 했지만 어차피 두 남자와 살 수도 없는 것이어서 b를 택하기로 마음을 먹었다.

b도 같은 마음이었는지 어느 시점 부터 속도를 내기 시작했고 어느날 상견례 얘기까지 꺼내서 지영은 자연스레 동의했다.

이렇게 b와의 결혼이 코앞으로 다가온 어느 날, 사무실로 웬 낯선 여자가 찾아왔다. 그녀는 자신을 'b의 여자'라고 말하며 두 번이나 그의 아이를 지웠노라 했다.

b에게 물어보자 그는 긍정도 부정도 하지 않는 애매한 태도를 보였고 그렇게 그와의 만남도 결국은 끝이 나고 말았다.

당분간 남자 따위는 잊고 살자, 하는데 오랜만에 희석으로부터 연락이 왔다

"잘 지냈지?"

"응....결혼도 할 뻔했는데"

이젠 그가 오랜 친구처럼 여겨졌다.

"뭐할러..혼자 살아. 넌 그게 맞아. 남자 알기를 우습게 알고"

또 그 지긋지긋한 제멋대로의 말에 지영은 희석과 헤어진 건 정말 잘한 일이라는 생각이 들었다.

"자긴 누구 생겼구?"

"야, 무일푼인데 여자가 붙니?"

그 말에 지영은 살짝 애틋함을 느꼈지만 더 이상 그것이 이성에게 향하는 사랑이니 욕망이니 하는 따위의

감정은 아니었다.

"밥 먹자 우리"라고 지영이 나이브하게 말하자 "약속 있다 나"라며 그가 거절을 하였다.

뭘까 이기분은?...

무슨 약속일까? 여자가 없다고 했으면서,라는 생각이 꼬리를 물었지만 더 이상 신경 쓰지 않기로 그녀는 다짐을 하였다.

그리고는 한달 후 지인을 통해 희석의 결혼 소식을 들었다. 한달 전만 해도 여자가 없다던 그가 그새 여자를 만나 결혼에 이르렀다는 게 믿기지 않았고 결국엔, 한달 전 이미 만나고 있는 여자가 있었다는 결론밖에 나지 않았다. 그리고는 얼마 후, 그녀는 희석으로부터 모바일 청첩장을 받았다. c라는 사진 속 앳된 여자는 조금은 새침해 보이는 인상의 미인이라면 미인이었고 그 옆에서 어색하게 웃고 있는 희석은 처음 보는 남자처럼 멀게만 느껴졌다.

지영은 축의금만 희석의 계좌로 입금했고 식에는 가지 않았다. 그렇게까지 쿨할 자신도 없었고 그것도 일종의 위선이라는 생각이 들었다. 그리고는 석달 후 그가 이혼했다는 애기가 들려왔다. 잘 살 줄 알았는데, 그러길 빌었는데 진심으로....지영은 뒤숭숭해서 그날 일찍 퇴근해서 집으로 향했다. 아직 러시아워 전이라 길은 막히지 않았다. 그렇게 집으로 오는 길에 지영은 혹시나 하는 생각에 예전 희석의 원룸으로 차를 돌렸다. 결혼 전 그가 살았던 그곳이, 그 허름하고 낙후됐지만 정감 어린 그 동네가 문득 그리웠다.

그리고는 원룸 건물 앞에서 담배를 태우고 있는 희석을 보게 되었다. 그리고 희석도 그녀의 차를 알아보고는 담배를 끄고 그녀에게로 다가왔다.

"왜? 무슨 일로 여긴?"이라며 그가 차 안으로 몸을 굽혀 물어왔다

"..."

"설마 나 보러 온 건 아닐테고?"

그 말에 왠지 그녀는 울적해졌다.

희석이 조수석에 올라 타서는 그녀를 물끄러미 보다가 가만히 그녀를 안아주었다.

그의 품에서 그녀는 이렇게 또 무너져서는 안 된다 생각하면서도 그의 파경이 어쩌면 자신으로 인한 걸지

도 모른다는 생각이 들었다.

"좋은 여자였어. 착하고 말 잘 듣고"

"...."

"근데 너는 아니잖아. 고분고분하고 순해서 택했는데 꺼떡하면 대들던 니가 잊혀지질 않았어"

"바보....그렇게도 종 같은 여자 찾더니"

"그렇다고 너를 용서한 건 아냐. 그냥 그랬다는거지... 너 또 말 안 들으면"

이라며 그가 그녀의 얼굴을 빤히 쳐다보았다.

"그럴걸 뭐 할러 결혼까지 했어? 바보처럼"

"지는 한 번이라도 갔다왔어? 너야 말로 바보다"

그렇게 서로 바보씨름을 하다 둘은 나란히 희석의 예전 그 원룸으로 들어가 서로를 부둥켜 안고 섹스도 하지 않고 날이 어두워지기를, 그런 날이 다시 밝아지기를 기다렸다.

그리고는 희석이 잠든 틈을 타서 그녀는 살며시 원룸을 나왔다 또 오게 될지, 이게 마지막이 될지는 그녀 스스로도 몰랐지만 어떻게 되든 지난 3년의 시간이 마냥 헛되지만은 않았다는 생각이 들었다.

그렇게 다시 강변북로를 달리면서 그녀는 오랜만에 하우저의 〈가브리엘의 오보에〉를 반복 재생했다.

"난 이놈 싫어. 액션이 너무 많아. 싸구려 같아"라며 희석은 싫어하였지만 그녀는 별다른 거부감이 들지 않는 연주자였다. 그런 것조차 우린 서로 맞지 않았지,하는 생각이 들자 역시 둘의 이별이 옳았다는 안도감과 이제 다시 그를 못 보면 어쩌나 하는 슬픔이 동시에 몰려왔다.

그렇게 아침 일찍 회사에 도착한 지영이 도어락을 누르는데 문자 알람이 울렸다. 희석의 문자였다

"점심때 갈테니 어디 돼지국밥 맛있게 하는데 알아놔
"

그는 또 다시 명령을 하고 있었다. 이게 싫어 헤어졌는데...이렇게 또 이어지는 건가? 그게 옳은 걸까? 난 정말 그를 원한 걸까? 하는 의심이 들어 책상 앞에 앉아서도 그녀는 한참을 우두커니 있었다. 하지만 어느 순간, 바삐 인근 돼지국밥집을 검색하는 자신을 발견했다. 돼지국밥....돼지...마침 회사 근처에 후기 좋은 국밥집이 떠서 그녀는 화면 그대로를 캡처해서 희석에

게 보냈다. 그러자 곧바로 "나쁘지 않군"이라는 그의 답문이 날아왔다.

3류의 사랑

발　행 | 2024. 6.15
저　자 | 박순영
펴낸이 | 로맹
펴낸곳 | 로맹
출판사등록 | 2023.12.14
주　소 | 서울특별시 성북구 보국문로 30길15
이메일 | jill99@daum.net

ISBN | 979-11-93896-13-6
정가 | 13000원

www.romainpublish.modoo.at